D1634636

Pedro Páramo

Juan Rulfo

Pedro Páramo

Tradução do castelhano

Rui Lagartinho e
Sofia Castro Rodrigues

Pedro Páramo / Pedro Páramo

Autor: Juan Rulfo

Tradução: Rui Lagartinho e Sofia Castro Rodrigues

Revisão: Helder Guégués

Capa: Miss Sushie
Paginação: Gabinete Gráfico Cavalo de Ferro

2.ª edição, Outubro de 2007
1.ª edição, Abril de 2004
Impressão e Acabamento: MAP, Manuel A. Pacheco, Lda. Artes Gráficas
Depósito Legal: 265256/07
ISBN: 978-989-623-070-8

Rua da Prata, n.º 208, 2.º
1100-422 Lisboa

Quando não encontrar algum livro Cavalo de Ferro nas livrarias,
sugerimos que visite o nosso *site:*
www.cavalodeferro.com

Vim a Comala porque me disseram que vivia aqui o meu pai, um tal Pedro Páramo. Foi a minha mãe quem mo disse. E eu prometi-lhe que viria vê-lo quando ela morresse. Apertei-lhe as mãos como sinal de que o faria pois ela estava à beira da morte e eu disposto a prometer-lhe tudo. «Não deixes de ir visitá-lo» – recomendou-me. «Chama-se assim e assado. Tenho a certeza de que gostará de conhecer-te.» Na altura nada mais pude fazer para além de lhe dizer que sim, que o faria, e de tanto lho dizer, continuei a dizê-lo mesmo depois do trabalho que as minhas mãos tiveram para se afastarem das suas mãos mortas. Imediatamente antes, dissera-me:

– Não lhe vás pedir nada. Exige-lhe o que nos pertence. O que me devia ter dado e nunca deu... O esquecimento a que nos votou, meu filho, cobra-lho caro.

– Assim farei, mãe.

Mas não pensava cumprir a minha promessa. Até ter começado, há muito pouco tempo, a encher-me de sonhos, a dar asas às ilusões. E assim se foi formando um mundo em torno da esperança que era aquele senhor chamado Pedro Páramo, o marido da minha mãe. Por isso vim a Comala.

Era o tempo da canícula, quando o ar de Agosto sopra quente, envenenado pelo odor putrefacto das saponárias.

O caminho subia e descia: «*Sobe ou desce consoante se vai ou se vem. Para quem vai, sobe; para quem vem, desce.*»

– Como diz que se chama a aldeia que se vê lá em baixo?

– Comala, senhor.

– Tem a certeza de que já é Comala?

– Tenho, senhor.

– E porque é que tudo parece tão triste?

– São os tempos, senhor.

Eu imaginava ver tudo aquilo através das memórias da minha mãe; da sua nostalgia, entre retalhos de suspiros. Ela viveu sempre a suspirar por Comala, pelo regresso; mas nunca voltou. Agora venho eu em vez dela. Trago os olhos com que ela viu estas coisas, porque me deu os seus olhos para ver: «*Passando o desfiladeiro de Los Colimotes, há a vista mais bonita de uma planície verde, um pouco amarela por causa do milho maduro. Daí vê-se Comala, branqueando a terra, iluminando-a durante a noite.*» E a sua voz era sussurrada, quase apagada, como se falasse consigo mesma... A minha mãe.

– E que vai o senhor fazer a Comala, se se pode saber? – ouvi alguém perguntar-me.

– Vou ver o meu pai – respondi.

– Ah! – disse ele.

E voltámos ao silêncio.

Caminhávamos encosta abaixo, ouvindo o eco do trote dos burros. Os olhos rebentados pelo torpor do sono, na canícula de Agosto.

– Que grande festa que lhe vai fazer – voltei a ouvir a voz do homem que ia ao meu lado. – Ficará contente por ver alguém depois de tantos anos sem que ninguém passasse por cá.

Depois acrescentou:

– Seja você quem for, ficará contente por vê-lo.

Na reverberação do sol, a planície parecia uma lagoa transparente, desfeita em vapores através dos quais brilhava, translúcido, um horizonte cinzento. E mais além, uma linha de montanhas. E ainda mais além, a mais remota lonjura.

– E como é o seu pai, se se pode saber?

– Não o conheço – disse-lhe. – Só sei que se chama Pedro Páramo.

– Ah! Bem sei.

– Sim, foi assim que me disseram que se chamava.

Ouvi novamente o «ah!» do almocreve.

Encontrara-o casualmente em Los Encuentros, onde se cruzam vários caminhos. Ali fiquei, à espera, até que, por fim, apareceu este homem.

– Para onde vai? – perguntei-lhe.

– Vou para baixo, senhor.

– Conhece um lugar chamado Comala?

– É mesmo para lá que vou.

E eu segui-o. Fui atrás dele tentando acompanhar o seu passo, até que pareceu aperceber-se de que o seguia e diminuiu a pressa da sua corrida. Depois disso, íamos tão próximos, que os nossos ombros quase se tocavam.

– Eu também sou filho de Pedro Páramo – disse-me.

Um bando de corvos passou por nós, atravessando o céu vazio, fazendo cuar, cuar, cuar.

Depois de passarmos os cerros, descemos cada vez mais. Tínhamos deixado o ar quente lá em cima e íamo-nos afundando no puro calor sem ar. Tudo parecia estar à espera de alguma coisa.

– Está calor, aqui – disse.

– Sim, e isto não é nada – respondeu-me. – Espere. Vai senti-lo ainda mais quando chegarmos a Comala. Aquilo está sobre as brasas da Terra, na própria boca do Inferno. Basta dizer-lhe que muitos dos que lá morrem, quando chegam ao Inferno, regressam em busca do seu agasalho.

– Conhece Pedro Páramo? – perguntei-lhe.

Atrevi-me a fazê-lo porque vi nos seus olhos uma gota de confiança.

– Quem é? – voltei a perguntar.

– Um rancor vivo – respondeu-me.

E deu uma chicotada desnecessária nos burros pois estes iam muito adiante de nós, encarreirados na descida.

Senti o retrato da minha mãe guardado no bolso da camisa, aquecendo-me o coração, como se também ela suasse. Era um retrato velho, carcomido nos rebordos; mas foi o único que lhe conheci. Encontrara-o no armário da cozinha, dentro de uma caçarola cheia de ervas: folhas de erva-cidreira, flores de Castela, ramos de arruda. Tenho-o desde então. Era o único. A minha mãe nunca gostou de se fotografar. Dizia que os retratos eram coisas de bruxaria. E assim parecia ser; porque o seu estava cheio de buracos, como que feitos por agulhas, e no sítio do coração tinha um, enorme, onde caberia perfeitamente o dedo do coração[1].

É o que trago comigo, pensando que poderia ser útil para o meu pai me reconhecer.

– Veja – diz-me o almocreve, estacando. – Vê aquela lomba que parece uma bexiga de porco? Pois mesmo atrás fica a Meia-Lua. Agora olhe para o lado. Vê a crista daquele cerro? Veja-a. E agora olhe para o outro. Vê a outra crista, que quase não se vê, de tão longe que está? Bom, pois essa é a extensão total da Meia-Lua, que é como quem diz toda a terra que se pode abarcar com o olhar. E toda esta terra é dele. Acontece que as nossas mães nos abortaram numa esteira, apesar de sermos filhos de Pedro Páramo. E o mais engraçado é que ele não nos baptizou. Consigo deve ter acontecido a mesma coisa, não?

– Não me lembro.

– Vá mas é enganar outro!

– Que diz?

– Que já estamos a chegar, senhor.

– Sim, estou a ver. O que é que passou por aqui?

– Um *correcaminos*[2], senhor. É o nome que dão a estes pássaros.

---

[1] Referência ao dedo anular, onde nasce, de acordo com a quiromancia, a linha do coração. (*N. dos T.*)

[2] Ave rasteira *(Geococcyx californianus)*. (*N. dos T.*)

– Não, eu estava a perguntar pela aldeia, que parece tão só, como se estivesse abandonada. Parece que não vive cá ninguém.

– Não parece. É. Aqui não vive ninguém.

– E Pedro Páramo?

– Pedro Páramo morreu há muitos anos.

Era a hora em que as crianças brincam nas ruas de todas as aldeias, enchendo a tarde com os seus gritos. Quando até as paredes negras reflectem a luz amarela do sol.

Era, pelo menos, o que eu vira em Sayula, ontem, a esta hora. E vira também o voo das pombas rompendo o ar quieto, sacudindo as asas como se se desprendessem do dia. Voavam e caíam sobre os telhados, enquanto os gritos das crianças rodopiavam e pareciam tingir-se de azul no céu do entardecer.

Agora estava aqui, nesta aldeia sem ruídos. Ouvia cair os meus passos sobre as pedras redondas que empedravam as ruas. Os meus passos ocos, repetindo o seu som no eco das paredes tingidas pelo sol do entardecer.

Fui andando pela rua principal, a essa hora. Vi as casas vazias; as portas fora dos gonzos, invadidas pela erva. Como é que aquele fulano me disse que esta erva se chamava? «A erva capitã, senhor. Uma praga que espera que as pessoas partam para invadir imediatamente as casas. Assim as verá.»

Ao passar por uma ruazinha, vi uma senhora envolta no seu xaile que desapareceu como se não existisse. Depois os meus passos voltaram a mover-se e os meus olhos continuaram a aproximar-se dos buracos das portas. Até que a mulher do xaile voltou a passar diante de mim.

– Boas noites! – disse-me.

Segui-a com o olhar. Gritei-lhe:

– Onde vive a dona Eduviges?

E ela apontou com o dedo:

– Ali. Na casa que fica junto à ponte.

Dei-me conta de que a sua voz era feita de fibras humanas, a sua boca tinha dentes e uma língua que se enrolava e desenrolava enquanto falava e de que os seus olhos eram como todos os olhos das pessoas que vivem sobre a Terra.

Tinha escurecido.

Voltou a dar-me as boas-noites. E embora não houvesse crianças a brincar, nem pombas, nem telhados azuis, senti que a aldeia estava viva. E que, se eu ouvia apenas o silêncio, era porque não estava ainda habituado ao silêncio; talvez porque a minha cabeça vinha cheia de ruídos e de vozes.

De vozes, sim. E aqui, onde o ar era escasso, ouviam-se melhor. Ficavam dentro de nós, pesadas. Lembrei-me do que a minha mãe me dissera: «*Lá ouvir-me-ás melhor. Estarei mais perto de ti. Acharás mais próxima a voz das minhas recordações do que a da minha morte, se é que a morte alguma vez teve voz.*» A minha mãe... a viva.

Quisera dizer-lhe: «Enganaste-te na morada. Deste-me uma direcção errada. Mandaste-me para o "onde é isto, onde é aquilo?" Para uma aldeia solitária. À procura de alguém que não existe.»

Cheguei à casa da ponte, orientando-me pelo barulho do rio. Bati à porta; mas em falso. A minha mão sacudiu-se no ar como se o ar a tivesse aberto.

Estava lá uma mulher. Disse-me:

– Entre.

E entrei.

Fiquei em Comala. O almocreve, que seguiu viagem, informou-me ainda antes de se despedir:

– Eu vou para além, onde vê a junção dos cerros. Tenho lá a minha casa. Se quiser vir, será bem-vindo. Mas se quiser ficar aqui, então fique; embora não fosse má ideia dar uma vista de olhos à aldeia, talvez encontre algum habitante vivo.

E fiquei. Vinha para ficar.

– Onde poderei encontrar alojamento? – perguntei, quase a gritar.

– Procure a senhora Eduviges, se é que ainda é viva. Diga-lhe que vai da minha parte.

– E como é que o senhor se chama?

– Abundio – respondeu-me. Mas já não consegui ouvir o apelido.

– Sou Eduviges Dyada. Entre.

Dir-se-ia que estava à minha espera. Tinha tudo a postos, segundo me disse, enquanto me conduzia ao longo de uma série de quartos escuros, aparentemente abandonados. Mas não; porque, assim que me habituei à escuridão e ao delgado fio de luz que nos seguia, vi crescer sombras de ambos os lados e senti que avançávamos ao longo de um estreito corredor aberto entre vultos.

– O que é que há aqui? – perguntei.

– Quinquilharias – disse-me ela. – Tenho a casa cheia de quinquilharias. Os que partiram escolheram-na para guardar os móveis e ninguém veio buscá-los. Mas o quarto que lhe reservei fica ao fundo. Tenho-o sempre desocupado para o caso de alguém chegar. Então o senhor é filho dela?

– De quem? – respondi.

– De Doloritas.

– Sim, mas como sabe?

– Ela avisou-me de que viria. E hoje, precisamente. Que chegaria hoje.

– Quem? A minha mãe?

– Sim. Ela.

Não soube o que pensar. Nem ela me deu tempo para pensar.

– Este é o seu quarto – disse-me.

Não tinha portas, só aquela pela qual tínhamos entrado. Acendeu a vela e vi que estava vazio.

– Aqui não há sítio para me deitar – disse-lhe.

– Não se preocupe com isso. Você deve vir cansado e o sono é muito bom colchão para o cansaço. Amanhã já lhe arranjo a sua cama. Como sabe, não é fácil organizar as coisas de um momento para o outro. Para isso temos de estar prevenidos e a sua mãe só me avisou agora.

– A minha mãe – disse –, a minha mãe já morreu.

– Então era por isso que a sua voz estava tão fraca, como se tivesse tido de percorrer uma distância enorme para chegar até aqui. Agora percebo. E há quanto tempo morreu?

– Há já sete dias.

– Pobre dela. Deve ter-se sentido abandonada. Tínhamos prometido morrer juntas. Irmos juntas para nos animarmos na viagem, para o caso de precisarmos, para o caso de encontrarmos alguma dificuldade. Éramos muito amigas. Nunca lhe falou de mim?

– Não, nunca.

– Parece-me estranho. É claro que na altura éramos muito novinhas. E ela tinha acabado de casar. Mas gostávamos muito uma da outra. A tua mãe era tão bonita, tão, digamos, tão terna, que dava gosto gostar dela. Dava vontade de gostar dela. Então está em vantagem, não? Mas podes ter a certeza de que a vou apanhar. Só eu entendo quão distante de nós está o Céu; mas sei como cortar caminho. Tudo consiste em morrer, o Senhor seja louvado, quando quisermos e não quando Ele o decide. Ou, se quiseres, obrigá-lo a decidir antes do tempo. Perdoa-me tratar-te por tu; faço-o porque te considero como meu filho. Sim, disse muitas vezes: «O filho de Dolores devia ter sido meu.» Depois te direi porquê. Agora, a única coisa que quero dizer-te é que vou apanhar a tua mãe em algum dos caminhos da eternidade.

Eu achava que aquela mulher tinha enlouquecido. Depois, deixei de achar fosse o que fosse. Senti-me num mundo longínquo e deixei-me arrastar. O meu corpo, que parecia afrouxar, dobrava-se diante de tudo, soltara as suas amarras e qualquer pessoa poderia brincar com ele como se fosse de trapo.

– Estou cansado – disse-lhe.

– Vem comer qualquer coisa. Qualquer coisa de qualquer coisa. Uma coisa qualquer.

– Irei. Irei mais tarde.

A água que gotejava das telhas abria um buraco na areia do pátio. Soava: plás plás e depois novamente plás, em meia folha de louro que dava voltas e reviravoltas entalada numa fenda dos tijolos. A tormenta já passara. Agora, a brisa sacudia de vez em quando os ramos da romãzeira fazendo-os espargir uma chuva espessa que estampava a terra com gotas brilhantes que depois se impregnavam. As galinhas, encolhidas como se dormissem, sacudiam subitamente as asas e saíam para o pátio, picando apressadas e apanhando as minhocas desenterradas pela chuva. Quando as nuvens se afastavam, o sol arrancava luz às pedras, irisava tudo de mil cores, bebia a água da terra, brincava com o ar dando brilho às folhas com que o ar brincava.

– O que é que tu tanto fazes na casa de banho, rapaz?

– Nada, mamã.

– Se continuas a ficar tanto tempo lá, virá uma cobra que te vai morder.

– Sim, mamã.

«Pensava em ti, Susana. Nas colinas verdes. Quando lançávamos papagaios na época do vento. Ouvíamos lá em baixo o rumor vivo da aldeia enquanto estávamos por cima dele, no alto da colina, e, entretanto, fugia-nos o fio de cânhamo arrastado pelo vento. "Ajuda-me, Susana". E umas mãos suaves apertavam as nossas mãos. "Solta mais fio."

«O ar fazia-nos rir; juntava os nossos olhares enquanto o fio corria entre os dedos atrás do vento, até se partir com um leve estalido como se tivesse sido despedaçado pelas asas de algum pássaro. E lá do alto, o pássaro de papel caía às piruetas, arrastando a sua cauda de cordel, perdendo-se no verde da terra.

«Os teus lábios estavam molhados como se o orvalho os houvesse beijado.»

– Disse-te para saíres da casa de banho, rapaz.

– Sim, mamã. Vou já.

«Lembrava-me de ti. De quando ali estavas, olhando-me com os teus olhos de água marinha.» Ergueu o olhar e viu a mãe à porta.

– Porque demoras tanto a sair? O que é que tu estás aqui a fazer?

– Estou a pensar.

– E não podes fazê-lo noutro lado? Faz mal estar tanto tempo na casa de banho. Aliás, devias arranjar alguma ocupação. Porque é que não vais debulhar milho com a tua avó?

– Vou já, mamã. Vou já.

– Avó, venho ajudá-la a debulhar milho.

– Já acabámos; mas vamos fazer chocolate. Onde é que tu te meteste? Andámos à tua procura durante todo o tempo que durou a tempestade.

– Estava no outro pátio.

– E o que é que estavas a fazer? A rezar?

– Não, avó, estava só a ver chover.

A avó olhou-o com aqueles olhos meio cinzentos, meio amarelos que ela tinha e que pareciam adivinhar o que havia dentro de uma pessoa.

– Anda, vai limpar o moinho.

«A centenas de metros, acima de todas as nuvens, mais, muito mais além, estás tu escondida, Susana. Escondida na imensidão de Deus, por trás da sua Divina Providência, onde eu não consigo alcançar-te e as minhas palavras não chegam.»

– Avó, o moinho não funciona, tem a mó partida.

– Aquela Micaela deve lá ter moído pedras. Não se consegue tirar-lhe esse mau hábito; mas enfim, já não tem remédio.

– Porque é que não compramos outro? Este já está tão velho que já não funciona.

– Dizes bem. Embora tenhamos ficado sem um centavo com as despesas que tivemos para enterrar o teu avô e com os dízimos que pagámos à Igreja. Todavia, faremos um sacrifício e compraremos outro. Seria bom que fosses visitar a dona Inés Villapando e lhe pedisses para no-lo fiar até Outubro. Pagamos-lhe na altura das colheitas.

– Sim, avó.

– E já agora, para que faças o recado completo, diz-lhe que nos empreste uma peneira e uma tesoura de podar; o mato cresceu de tal forma que já nos chega à cintura. Se eu tivesse a minha casa grande, com os currais que tinha, não me queixava. Mas o teu avô cismou em vir para cá. Seja tudo pelo amor de Deus: as coisas nunca são como nós queremos. Diz à dona Inés que na altura das colheitas lhe pagaremos tudo o que lhe devemos.

– Sim, avó.

Havia beija-flores. Era a época. Ouvia-se o zumbido das suas asas entre as flores do jasmim carregado.

Deu uma volta pela mísula do Sagrado Coração e encontrou vinte e quatro centavos. Deixou os quatro centavos e pegou na moeda de vinte.

Antes de sair, a mãe deteve-o:

– Onde vais?

– Vou ter com a dona Inés Villapando buscar um moinho novo. O que tínhamos partiu-se.

– Diz-lhe que me dê um metro de tafetá preto, como este – e deu-lhe a amostra. – Que ponha na nossa conta.

– Muito bem, mamã.

– Quando voltares, compra-me umas cafiaspirinas. No vaso do corredor encontrarás dinheiro.

Encontrou um peso. Deixou a moeda de vinte centavos e pegou na moeda de um peso.

«Agora já tenho dinheiro de sobra para o que me apetecer», pensou.

– Pedro! – gritaram-lhe. – Pedro!

Mas ele já não ouviu. Ia muito longe.

À noite, voltou a chover. Esteve a ouvir o borbulhar da água durante muito tempo; depois deve ter adormecido porque quando acordou já só se ouvia uma chuva miudinha. Os vidros da janela estavam embaciados e, do lado de fora, as gotas resvalavam em fios grossos como lágrimas. «Via cair as gotas iluminadas pelos relâmpagos e, sempre que respirava, suspirava e sempre que pensava, pensava em ti, Susana.»

A chuva transformava-se em brisa. Ouviu: «O perdão dos pecados e a ressurreição da carne. Amén.» Isso era cá dentro, onde as mulheres rezavam o fim do rosário. Levantavam-se; fechavam os pássaros; trancavam a porta; apagavam a luz.

Só permanecia a luz da noite, o ciciar da chuva como um murmúrio de grilos...

– Porque é que não foste rezar o rosário? Estamos na novena pelo teu avô.

Lá estava a sua mãe, na ombreira da porta, de vela na mão. A sua sombra, que se estendia até ao tecto, longa, desdobrada. E as vigas do tecto devolviam-na em pedaços, despedaçada.

– Sinto-me triste – disse.

Então, ela voltou-se. Apagou a chama da vela. Fechou a porta e abriu os seus soluços que continuaram a ouvir-se, confundindo-se com a chuva.

O relógio da igreja deu as horas, uma a seguir à outra, como se o tempo tivesse encolhido.

– Pois bem, eu estive quase a ser tua mãe. Ela nunca te disse nada acerca disto?

– Não. Só me contava coisas boas. Da sua existência, vim a saber pelo almocreve que me trouxe até cá, um tal Abundio.

– O bom do Abundio. Então ele ainda se lembra de mim? Eu dava-lhe comissão por cada passageiro que encaminhava para minha casa. E as coisas corriam-nos bem. Agora, infelizmente, os tempos mudaram pois desde que isto empobreceu já ninguém comunica connosco. De modo que ele te recomendou que viesses ver-me?

– Disse-me que a procurasse.

– Não posso senão agradecer-lhe. Foi um bom homem e muito cumpridor. Era ele quem nos levava e trazia o correio e continuou a fazê-lo mesmo depois de ter ficado surdo. Lembro-me do dia desventurado em que lhe sucedeu a desgraça. Todos nos comovemos porque todos gostávamos dele. Levava-nos e trazia-nos cartas. Contava-nos como iam as coisas do outro lado do mundo e certamente lhes contava como elas corriam connosco. Era um grande conversador. Depois, não. Deixou de falar. Dizia que não tinha sentido pôr-se a dizer coisas que ele não ouvia, que não lhe soavam a nada, que não lhe sabiam a nada. Tudo aconteceu porque estalou muito perto da sua cabeça um desses foguetes que aqui usamos para espantar as cobras-d'água. Desde então emudeceu, embora não fosse mudo; mas, isso sim, não deixou de ser boa pessoa.

– Este de quem lhe falo ouvia bem.

– Não deve ser ele. Aliás, Abundio já morreu. Deve ter morrido, com certeza. Tu percebes? Então não pode ser ele.

– Estou de acordo consigo.

– Bom, voltando à tua mãe, estava a dizer-te...

Sem deixar de a ouvir, pus-me a observar a mulher que tinha diante de mim. Pensei que devia ter passado por anos difíceis. A sua cara era transparente como se não tivesse sangue e as suas mãos estavam murchas; murchas e enrugadas. Não se lhe viam os olhos. Usava um vestido branco muito antigo, carregado de folhos, e do pescoço, enfiada num cordão, pendia uma Maria Santíssima do Refúgio com uma inscrição que dizia: «Refúgio de pecadores.»

– ... O sujeito de que estou a falar trabalhava como «amansador» na Meia-Lua; dizia chamar-se Inocencio Osorio.

Embora todos o conhecêssemos pela alcunha de Saltarico por ser muito leve e ágil a saltar. O meu compadre Pedro dizia que estava talhado para amansar potros; mas a verdade é que ele tinha outro ofício: o de «provocador». Era provocador de sonhos. Era isso que ele era verdadeiramente. E enredou a tua mãe tal como fazia com muitas. Entre outras, eu. Uma vez, senti-me doente e ele apresentou-se e disse-me: «Venho tomar-te o pulso para que te sintas melhor.» E tudo consistia nisto: começava a massajar-te, primeiro nas pontas dos dedos, depois esfregando as mãos; a seguir os braços, e acabava por meter-se entre as nossas pernas, a frio, pelo que aquilo, ao fim de algum tempo, começava a produzir calor. E, enquanto manobrava, falava-te do teu futuro. Entrava em transe, revirava os olhos fazendo invocações e amaldiçoando; enchendo-te de gafanhotos tal como os ciganos. Por vezes, ficava em pelota porque dizia ser esse o nosso desejo. E às vezes acertava; picava em tantos sítios que a algum tinha de ir dar.

«A verdade é que o tal Osorio prognosticou à tua mãe, quando ela o foi ver, que "nessa noite não devia deitar-se com nenhum homem porque a Lua estava bravia."

«Dolores veio dizer-me, muito apressada, que não podia. Que lhe era pura e simplesmente impossível deitar-se nessa noite com Pedro Páramo. Era a sua noite de núpcias. E ali estava eu, a tentar convencê-la a não acreditar no Osorio, que era aliás um embusteiro e um sedutor.

– Não posso – disse-me – Vai tu por mim. Não notará.

Claro que eu era muito mais nova do que ela. E um pouco menos morena; mas nada disto se nota no escuro.

– Não pode ser, Dolores, tens de ir tu.

– Faz-me esse favor. Pagar-te-ei com outros.

Nesse tempo, a tua mãe era uma rapariguinha de olhos humildes. Se tinha alguma coisa bonita, a tua mãe, eram os olhos. E sabiam convencer.

– Vai tu no meu lugar – dizia-me.

E fui.

Vali-me da escuridão e de outra coisa que ela não sabia: também eu gostava de Pedro Páramo.

Deitei-me com ele, com gosto, com vontade. Agarrei-me ao seu corpo; mas o folguedo da noite anterior deixara-o de rastos, pelo que passou toda a noite a roncar. A única coisa que fez foi pôr as suas pernas entre as minhas.

Antes do amanhecer, levantei-me e fui ter com Dolores. Disse-lhe:

– Vai tu para lá, agora. Hoje já é outro dia.

– O que é que ele te fez? – perguntou-me.

– Ainda não sei – respondi-lhe.

No ano seguinte nasceste tu; mas não de mim, embora quase tivesse sido.

Talvez tenha sido por vergonha que a tua mãe não te contou isto.

«... Planícies verdes. Ver subir e descer o horizonte com o vento que agita as espigas, o eriçar da tarde com uma chuva de triplas ondulações. A cor da terra, o cheiro da alfafa e do pão. Uma aldeia que cheira a mel derramado...»

Ela sempre odiou Pedro Páramo. "Doloritas! Já mandou preparar o meu pequeno-almoço?" E a tua mãe levantava--se antes do amanhecer. Acendia o lume. Os gatos acordavam com o cheiro do lume. E ela andava de um lado para o outro, seguida por um bando de gatos. "Dona Doloritas!"

Quantas vezes ouviu a tua mãe aquela chamada? "Dona Doloritas, isto está frio. Isto não presta." Quantas vezes? E embora estivesse habituada a passar dificuldades, os seus olhos humildes endureceram-se.

«... Não sentir outro sabor para além da flor das laranjeiras na calidez do tempo.»

Então começou a suspirar.

– Porque suspira, Doloritas?

Nessa tarde, eu acompanhara-os. Estávamos no meio do campo a ver passar os bandos de tordos. Um abutre solitário agitava-se no céu.

– Porque suspira, Doloritas?

– Gostava de ser abutre para voar até onde vive a minha irmã.

– Era só o que faltava, Dona Doloritas. Irá imediatamente visitar a sua irmã. Regressemos. Que lhe façam as malas. Era só o que faltava. E a tua mãe partiu:

– Até logo, dom Pedro.

– Adeus, Doloritas.

Partiu da Meia-Lua para sempre. Muitos meses depois, perguntei por ela a Pedro Páramo.

– Gostava mais da irmã do que de mim. Lá deve estar feliz. Aliás, já estava farto dela. Não penso perguntar por ela, se é isso que te preocupa.

– Mas viverão de quê?

– Que Deus os ajude.

«... O abandono a que nos votou, meu filho, cobra-lho caro.»

E foi assim que, até me avisar agora de que virias ver-me, não voltámos a saber nada dela.

– E aconteceram tantas coisas – disse-lhe. – Vivíamos em Colima, à custa da tia Gertrudis, que nos atirava à cara o peso que éramos. «Porque é que não voltas para o teu marido?», dizia à minha mãe.

– E porventura perguntou por mim? Não parto sem que ele me chame. Vim porque queria ver-te. Porque gostava de ti, foi essa a razão.

– Compreendo. Mas já vai sendo hora de partires.

– Se dependesse de mim.»

Pensei que aquela mulher me ouvia; mas notei que tinha a cabeça inclinada como se escutasse algum rumor longínquo. Depois disse:

– Quando descansarás?

«No dia em que partiste percebi que não voltaria a ver-te. Ias tingida de vermelho pelo sol da tarde, pelo crepúsculo ensanguentado do céu. Sorrias. Deixavas para trás uma aldeia da qual muitas vezes me disseste: "Amo-a por tua causa; mas odeio-a por todas as outras coisas, até por ter cá nascido." Pensei: "Jamais regressará; nunca voltará."

– O que é que tu estás aqui a fazer a estas horas? Não estás a trabalhar?

– Não, avó. O Rogelio quer que lhe tome conta do menino. Estou sempre a passeá-lo. Dá trabalho fazer as duas coisas ao mesmo tempo: tomar conta do menino e do telégrafo, enquanto ele passa o tempo a beber cervejas nos bilhares. Além disso, não me paga nada.

– Não estás lá para ganhar dinheiro, mas para aprender; quando já souberes alguma coisa, já poderás ser exigente. Por agora és só um aprendiz; talvez amanhã, ou depois, venhas a ser tu o chefe. Mas para isso é preciso ter paciência e, acima de tudo, humildade. Se te põem a passear a criança, fá-lo, pelo amor de Deus. Tens de te resignar.

– Que se resignem outros, avó, eu cá não estou para resignações.

– Tu e as tuas esquisitices! Sinto que te vais dar mal, Pedro Páramo.

– O que é que se passa, dona Eduviges?

Ela sacudiu a cabeça como se acordasse de um sonho.

– É o cavalo de Miguel Páramo que galopa pelo caminho da Meia-Lua.

– Então vive alguém na Meia-Lua?

– Não, não vive lá ninguém.

– Então?

– Só o cavalo, que vai e vem. Eles eram inseparáveis. Corre por todo o lado à sua procura e regressa sempre por volta desta hora. Talvez o pobre não suporte o remorso. Porque até os animais se apercebem quando cometem um crime, não é verdade?

– Não entendo. Nem sequer ouvi nenhum barulho de nenhum cavalo.

– Não?

– Não.

– Então é coisa do meu sexto sentido. Um dom que Deus me deu; ou talvez seja uma maldição. Só eu sei o que sofri por causa disto.

Guardou silêncio durante algum tempo e depois acrescentou:

– Tudo começou com Miguel Páramo. Só eu soube o que lhe acontecera na noite em que morreu. Estava já deitada quando ouvi regressar o seu cavalo, rumo à Meia-Lua. Achei estranho porque nunca regressava àquelas horas. Regressava sempre quando a madrugada já ia alta. Ia conversar com a sua noiva a uma aldeia chamada Contla, um pouco distante daqui. Saía cedo e tardava a voltar. Mas nessa noite não regressou... Ouve-lo agora? Ouve-se claramente. Está de regresso.

– Não oiço nada.

– Então é coisa minha. Bom, como estava a dizer-te, isso de não ter regressado não passa de um boato. Ainda não tinha acabado de passar o seu cavalo quando senti que me batiam na janela. Vá-se lá saber se foi ilusão minha. A verdade é que alguma coisa me obrigou a ir ver quem era. E era ele, Miguel Páramo. Não estranhei vê-lo, pois houve um tempo em que passava as noites em minha casa dormindo comigo, até ter encontrado essa rapariga que lhe sorveu os sentidos.

– O que é que aconteceu? – disse a Miguel Páramo – Deram-te tampa?

– Não. Ela continua a gostar de mim – disse-me. – O que se passa é que eu não consegui encontrá-la. Perdi a aldeia. Havia muita neblina ou fumo ou não sei o quê; mas sei que Contla não existe. De acordo com os meus cálculos, até fui mais longe e não encontrei nada. Venho contar-to porque tu me compreendes. Se o dissesse às outras pessoas de Comala, diriam que estou louco, como sempre disseram.

– Não. Louco não, Miguel. Deves estar morto. Lembra-te que te disseram que esse cavalo ainda te mataria. Lembra-te, Miguel Páramo. Talvez te tenhas posto a fazer loucuras e isso já é outra coisa.

– Só saltei o muro que o meu pai mandou fazer. Fiz que o *Colorado* o saltasse para não ir dar essa volta tão grande que agora temos de fazer para encontrar o caminho. Sei que o saltei e que depois continuei a correr; mas, como te digo, só havia fumo e fumo e fumo.

– Amanhã o teu pai contorcer-se-á de dor – disse-lhe. – Lamento por ele. Agora vai e descansa em paz, Miguel. Agradeço-te que tenhas vindo despedir-te de mim.

E fechei a janela.

Antes de amanhecer, um criado da Meia-Lua veio dizer:

– O patrão dom Pedro suplica-lhe que venha. O menino Miguel morreu. Suplica-lhe a sua companhia.

– Já sei – disse-lhe. – Pediram-te para chorar?

– Sim, dom Fulgor disse-me para lho dizer a chorar.

– Está bem. Diz a dom Pedro que irei. Trouxeram-no há muito tempo?

– Ainda não há meia hora. Se tivesse sido antes, talvez se tivesse salvado. Embora, segundo o doutor que o examinou, já estivesse frio há muito tempo. Soubemo-lo porque o *Colorado* voltou sozinho e ficou tão inquieto que não deixou ninguém dormir. Você sabe como aqueles dois gostavam um do outro, e até estou em crer que o animal está a sofrer mais do que dom Pedro. Não comeu nem dormiu e está sempre desassossegado. Como se soubesse, sabe? Como se se sentisse despedaçado e carcomido por dentro.

– Não te esqueças de fechar a porta quando te fores embora.

E o rapaz da Meia-Lua foi-se embora.

– Já ouviste o queixume de um morto? – perguntou-me.

– Não, dona Eduviges.

– Melhor para ti.

Da bica, as gotas caem uma a uma. Ouve-se, saindo da pedra, a água clara que cai no cântaro. Ouve-se. Ouvem-se barulhos; pés que raspam o solo, que caminham, que vão e vêm. As gotas continuam a cair incessantemente. O cântaro transborda, fazendo rolar a água sobre um chão molhado.

«Acorda!», dizem-lhe.

Reconhece o som da voz. Tenta adivinhar quem é; mas o corpo afrouxa e cai adormecido, esmagado pelo peso do sono. Umas mãos puxam as cobertas, prendendo-as e, sob o seu calor, o corpo esconde-se à procura da paz.

«Acorda!», voltam a dizer.

A voz sacode os ombros. Faz endireitar o corpo. Entreabre os olhos. Ouvem-se as gotas que caem da bica no cântaro raso. Ouvem-se passos que se arrastam... E o pranto.

Então ouviu o pranto. Isso acordou-o: um pranto suave, fino, que talvez por ser fino conseguiu atravessar o emaranhado do sono, chegando ao lugar onde se aninham os sobressaltos.

Levantou-se lentamente e viu a cara de uma mulher encostada à ombreira da porta, ainda obscurecida pela noite, a soluçar.

– Porque choras, mamã? – perguntou; pois mal pôs os pés no chão reconheceu o rosto da mãe.

– O teu pai morreu – disse-lhe.

E depois, como se se tivessem aberto os diques da sua pena, deu uma volta sobre si própria, uma e outra vez, até que umas mãos alcançaram os seus ombros e conseguiram deter a convulsão do seu corpo.

Através da porta, via-se o amanhecer no céu. Não havia estrelas. Apenas um céu plúmbeo, cinzento, ainda não iluminado pela luminosidade do sol. Uma luz parda, como se o dia não fosse começar mas antes chegasse o princípio da noite.

Lá fora, no pátio, os passos, como os de pessoas a rondar. Ruídos abafados. E aqui, uma mulher, de pé no umbral; o seu corpo impedindo a chegada do dia; deixando assomar, através dos seus braços, retalhos de céu, e, debaixo dos seus pés, regueiros de luz; uma luz aspergida como se o chão sob ela estivesse inundado de lágrimas. E depois o soluço. Outra vez o pranto suave mas agudo e a pena retorcendo o seu corpo.

– Mataram o teu pai.

– E a ti, mãe, quem te matou?

«Há ar e sol, há nuvens. Lá em cima, um céu azul e por trás dele talvez haja canções; talvez vozes melhores... Há esperança, em suma. Há esperança para nós, apesar do nosso pesar.

Mas não para ti, Miguel Páramo, que morreste sem perdão e não alcançarás qualquer graça.»

O padre Rentería deu meia-volta e entregou a missa ao passado. Apressou-se a terminar e saiu sem dar a bênção final àquela gente que enchia a igreja.

– Padre, queremos que nos abençoe!

– Não! – disse, acenando negativamente com a cabeça – Não o farei. Foi um mau homem e não entrará no Reino dos Céus. Deus levar-me-á a mal que interceda por ele.

Dizia-o enquanto tentava segurar as mãos para que não revelassem o seu tremor. Mas lá o fez.

Aquele cadáver pesava muito na consciência de todos. Estava sobre uma tarimba, a meio da igreja, rodeado de círios novos, de flores, de um pai que estava por trás dele, sozinho, esperando que o velório terminasse.

O padre Rentería passou por Pedro Páramo tentado evitar roçar os seus ombros. Levantou o hissope com gestos suaves e aspergiu a água benta de cima para baixo, enquanto da sua boca saía um murmúrio, que podia ser uma oração. Depois ajoelhou-se e todos se ajoelharam com ele:

– Tem piedade do teu servo, Senhor.

– Que descanse em paz, ámen – responderam as vozes. E quando começava a encher-se novamente de cólera, viu que todos abandonavam a igreja, levando o cadáver de

Miguel Páramo. Pedro Páramo aproximou-se, ajoelhando-se ao seu lado:

– Eu sei que o senhor o odiava, padre. E com razão. O assassínio do seu irmão, que de acordo com os boatos foi cometido pelo meu filho; o caso da sua sobrinha Ana, violada por ele, na sua opinião; as ofensas e a falta de respeito que lhe votou em muitas ocasiões, são motivos que qualquer pessoa consegue admitir. Mas esqueça-os agora, padre. Considere-o e perdoe-lhe como talvez Deus o tenha perdoado.

Sobre o genuflexório, colocou um punhado de moedas de ouro e levantou-se:

– Receba isto como uma oferta para a sua igreja.

A igreja já estava vazia. Dois homens esperavam Pedro Páramo à porta, que se lhes juntou, e juntos seguiram o féretro, que aguardava descansando sobre os ombros de quatro empregados da Meia-Lua.

O padre Rentería pegou nas moedas, uma a uma, e aproximou-se do altar.

– São tuas – disse. – Ele pode comprar a salvação. Tu sabes se é este o preço. Quanto a mim, Senhor, compareço diante de ti para te pedir o que é justo ou o que é injusto, pois tudo nos é concedido pedir... Por mim, condena-o, Senhor.

E fechou o sacrário.

Entrou na sacristia, refugiou-se num recanto e aí chorou de pena e tristeza até esgotar as suas lágrimas.

– Está bem, Senhor, tu ganhas – disse, depois.

Ao jantar, bebeu chocolate como fazia todas as noites. Sentia-se tranquilo.

– Ouve, Anita. Sabes quem enterraram hoje?

– Não, tio.

– Lembras-te de Miguel Páramo?

– Sim, tio.

– Ele.

Ana baixou a cabeça.

– Tens a certeza de que foi ele, não tens?

– A certeza não, tio. Não lhe vi a cara. Agarrou-me de noite e no escuro.

– Então como é que soubeste que era Miguel Páramo?

– Porque me disse: «Sou Miguel Páramo, Ana. Não te assustes.» Foi isso que ele me disse.

– Mas sabias que era o autor da morte do teu pai, não?

– Sim, tio.

– Então o que é que fizeste para o afastar?

– Não fiz nada.

Ambos guardaram silêncio durante algum tempo. Ouvia--se o ar morno entre as folhas de murta.

– Disse-me que era precisamente por isso que tinha vindo; para me pedir desculpa e para que eu lhe perdoasse. Sem sair da cama, avisei-o: «A janela está aberta.» E ele entrou. Chegou e abraçou-me, como se essa fosse a forma de se desculpar pelo que fizera. E eu sorri-lhe. Pensei no que o senhor me tinha ensinado: que nunca devemos odiar ninguém. Sorri-lhe para lhe dizer, mas depois pensei que ele não conseguiu ver o meu sorriso porque eu não o via e porque a noite estava tão escura. Só o senti sobre mim e que começava a fazer-me coisas más.

Julguei que ia matar-me. Foi o que eu julguei, tio. E até deixei de pensar para morrer antes que ele me matasse. Mas decerto que não se atreveu a fazê-lo.

Soube-o quando abri os olhos e vi a luz da manhã, que entrava pela janela aberta. Até essa hora, senti que tinha deixado de existir.

– Mas deves ter alguma certeza. A voz. Não o reconheces-te pela voz?

– Não o conhecia. Só sabia que tinha matado o meu pai. Nunca o tinha visto e depois não cheguei a vê-lo. Não teria conseguido, tio.

– Mas sabias quem era.

– Sim, e o que era. Sei que agora deve estar no fundo do Inferno; porque assim pedi a todos os santos com todo o fervor.

– Não estejas tão convencida disso, filha. Quem sabe quantos estarão agora a rezar por ele! Tu estás sozinha. Uma prece contra milhares de preces. E entre elas, algumas muito mais profundas que a tua, como a do seu pai.

Ia dizer-lhe: «Aliás, eu concedi-lhe o perdão.» Mas só o pensou. Não quis maltratar a alma meio quebrada daquela rapariga. Pelo contrário, deu-lhe o braço e disse-lhe:

– Demos graças a Deus Nosso Senhor porque o levou desta terra onde causou tanto mal, não importa que agora o tenha no seu Céu.

Um cavalo passou a galope no cruzamento da rua principal com o caminho de Contla. Ninguém o viu. Todavia, uma mulher que estava à espera nas imediações da aldeia contou que tinha visto o cavalo a correr com as pernas dobradas como se estivesse prestes a cair de bruços. Reconheceu o alazão de Miguel Páramo. E até pensou: «Este animal vai partir o pescoço.» Depois, viu-o endireitar o corpo e, sem abrandar a corrida, caminhar com o pescoço atirado para trás como se viesse assustado por algo que deixara para trás.

Estas histórias chegaram à Meia-Lua na noite do enterro, enquanto os homens descansavam da longa caminhada que tinham feito até ao jazigo.

Conversavam, como se conversa em todo o lado, antes de se irem deitar.

– A mim doeu-me muito aquele morto – disse Terencio Lubianes. – Ainda trago os ombros doridos.

– E a mim – disse o seu irmão Ubillado. – Até se me incharam os joanetes. Com aquela história do patrão querer que fôssemos todos de sapatos. Nem que tivesse sido dia de festa, não é verdade, Toribio?

– Que querem vocês que vos diga. Penso que morreu muito a tempo.

Pouco depois, chegaram mais boatos de Contla. Trouxe--os a última carroça.

– Dizem que a alma anda por lá. Viram-no a bater à janela de fulaninha. Igualzinho a ele. De safões e tudo.

– E você acha que dom Pedro, com o génio que tem, ia permitir que o filho continuasse a enganar raparigas? Já estou a imaginá-lo se soubesse: «Bom» – dir-lhe-ia – «Tu já estás morto. Fica quieto na sepultura. Deixa esse assunto connosco.» E se o visse por aí, quase que aposto que o mandaria de novo para o cemitério.

– Tens razão, Isaías. O velho não deixa passar as coisas.

O carroceiro seguiu o seu caminho. «Vendo-as pelo preço por que as comprei.»

Havia estrelas cadentes. Caíam como se do céu chuviscasse lume.

– Vejam só – disse Terencio – a algazarra que lá vai em cima.

– Estão a encomendar a alma do Miguelito – argumentou Jesus.

– Não será mau sinal?

– Para quem?

– Talvez a tua irmã deseje o seu regresso.

– Falas com quem?

– Contigo.

– É melhor irmos embora, rapazes. Calcorreámos muito e amanhã temos de madrugar.

E dissolveram-se como sombras.

Havia estrelas cadentes. As estrelas em Comala apagaram-se.

Então o céu assenhoreou-se da noite.

O padre Rentería dava voltas na cama sem conseguir adormecer: «Tudo isto é culpa minha», disse. «O medo de ofender aqueles que me sustentam. Porque a verdade é esta:

eles dão-me o meu sustento. Dos pobres não consigo nada; as orações não enchem o estômago. Assim foi até agora. E as consequências são estas. Minha culpa. Traí aqueles que gostam de mim e que me deram a sua fé e que me procuram para que eu interceda por eles junto de Deus. Mas o que foi que conseguiram com a sua fé? Ganhar o céu? Ou a purificação das suas almas? E para que é que purificam as suas almas se no último momento... Ainda tenho diante dos olhos o olhar de Maria Dyada, que veio pedir-me para salvar a irmã Eduviges:

«– Ela serviu sempre o seu semelhante. Deu-lhes tudo o que tinha. Até lhes deu um filho, a todos. E colocou-o à frente dos seus olhos, para que alguém o reconhecesse como seu; mas ninguém quis fazê-lo. Então disse-lhes: "Nesse caso, eu sou também seu pai, embora por acaso tenha sido sua mãe." Abusaram da sua hospitalidade por causa dessa sua bondade, de não querer ofendê-los nem ficar de mal com ninguém.

«– Mas ela suicidou-se. Obrou contra a mão de Deus.

«– Não lhe restava outro caminho. Foi também por bondade que resolveu fazê-lo.

«– Falhou na última hora – foi isso que eu disse. – No último momento. Tantos bens acumulados para a sua salvação e vai perdê-los assim de repente!

«– Mas não os perdeu. Morreu com muitas dores. E a dor... O senhor disse-nos qualquer coisa acerca da dor de que eu já não me lembro. Ela foi-se por causa dessa dor. Morreu retorcida pelo sangue que a afogava. Ainda vejo os seus esgares e os seus esgares eram os mais tristes gestos que um ser humano alguma vez fez.

«– Talvez rezando muito.

«– Já rezámos muito, padre.

«– Digo que talvez com missas gregorianas; mas para isso precisamos de pedir ajuda, mandar vir sacerdotes. E isso custa dinheiro.

«Diante dos meus olhos estava o olhar de Maria Dyada, uma pobre mulher cheia de filhos.

«– Não tenho dinheiro. O senhor sabe isso, padre.

«– Deixemos as coisas como estão. Tenhamos esperança em Deus.

«– Sim, padre.

Porque é que aquele olhar se tornava corajoso diante da resignação? Que lhe custava a ele perdoar, quando era tão fácil dizer uma palavra ou duas ou cem se estas fossem necessárias para salvar a alma? Que sabia ele do Céu e do Inferno? E, contudo, ele, perdido numa aldeia sem nome, sabia quem eram os que tinham merecido o Céu. Havia um catálogo. Começou a percorrer os santos do panteão católico começando pelos do dia: "Santa Nunilona, virgem e mártir; Anercio, bispo; Santas Salomé viúva, Alodia ou Elodia e Nulina, virgens; Córdula e Donato." E continuou. O sono começava a invadi-lo quando se sentou na cama: "Estou a rever uma fileira de santos como se estivesse a ver saltar carneiros."

Saiu e observou o céu. Choviam estrelas. Lamentou-o, porque gostaria de ter visto um céu tranquilo. Ouviu o canto dos galos. Sentiu o manto da noite cobrindo a Terra. A Terra, «este vale de lágrimas».

– Mais te vale, filho. Mais te vale – disse-me Eduviges Dyada.

A noite já ia alta. A candeia que ardia num recanto começou a elanguescer; depois pestanejou e acabou por se apagar.

Senti que a mulher se levantava e pensei que iria buscar outra luz. Ouvi os seus passos cada vez mais distantes. Fiquei à espera.

Passado algum tempo, ao ver que não voltava, levantei--me eu também. Fui caminhando com pequenos passos, tacteando na escuridão, até chegar ao meu quarto. Lá chegado, sentei-me no chão à espera do sono.

Dormi entre interrupções.

Numa dessas interrupções, ouvi o grito. Era um grito arrastado como o alarido de um bêbedo: «Ai vida, não me mereces!»

Pus-me de pé rapidamente porque quase o ouvi aos meus ouvidos; podia ter sido na rua; mas eu ouvi-o aqui, colado às paredes do meu quarto. Ao acordar, tudo estava em silêncio; apenas o cair do pó e o rumor do silêncio.

Não, não era possível calcular a profundidade do silêncio que aquele grito produziu. Como se a Terra se tivesse esvaziado de todo o ar. Nenhum som; nem o da respiração, nem o do bater do coração; como se o próprio ruído da consciência se tivesse interrompido. E quando a interrupção terminou e voltei a acalmar-me, o grito regressou e continuou a ouvir-se durante um longo momento: «Deixem-me ainda que seja apenas o direito de empurrar a cadeira do enforcado!»

Então abriram a porta de par em par.

– É a senhora, dona Eduviges? – perguntei. – O que é que se está a passar? A senhora teve medo?

– Não me chamo Eduviges. O meu nome é Damiana. Soube que estavas cá e vim ver-te. Quero convidar-te para dormir em minha casa. Lá terás onde descansar.

– Damiana Cisneros? A senhora é uma das pessoas que viveram na Meia-Lua?

– Vivo lá. Por isso demorei a vir.

– A minha mãe falou-me de uma tal Damiana que tinha cuidado de mim quando nasci. Então a senhora...?

– Sim, sou eu. Conheço-te desde que abriste os olhos.

– Irei consigo. Aqui os gritos não me deixaram em paz. Não ouviu o que se estava a passar? Parecia que estavam a assassinar alguém. Não ouviu agora mesmo?

– Talvez seja algum eco aqui fechado. Neste quarto enforcaram Toribio Aldrete há muito tempo. Depois, selaram a porta até ele secar; para que o seu corpo não tivesse descanso. Não sei como conseguiste entrar, uma vez que não há chave para abrir esta porta.

– Foi a dona Eduviges quem ma abriu. Disse-me que era o único quarto que tinha disponível.

– Eduviges Dyada?

– Ela.

– Pobre Eduviges. Ainda deve andar a penar.

«Fulgor Sedano, homem de 54 anos, solteiro, administrador de ofício, apto a intentar e a acompanhar pleitos, por poder e por seu próprio direito, reclamo e alego o seguinte...»

Isso dissera quando processara Toribio Aldrete. E terminou: «Que conste a minha acusação de usufruto.»

– Do homem que o senhor é ninguém duvida, dom Fulgor. Eu sei que o senhor pode. E não por causa do poder que tem por trás, mas por si.

Recordava-se. Foi a primeira coisa que o Aldrete lhe disse, depois de se terem embebedado juntos, ao que parece para celebrar a acta:

– Com este papel, vamos limpar-nos os dois, dom Fulgor, porque não vai servir para outra coisa. E o senhor sabe isso. Enfim, no que lhe diz respeito, o senhor já cumpriu o seu mandato, e eu saio de apuros; porque o senhor trazia-me deveras preocupado. A cada um o que é seu. Agora sei do que se trata e dá-me vontade de rir. Diz «usufruto». O seu patrão devia ter vergonha de ser tão ignorante.

Lembrava-se. Estavam no restaurante de Eduviges. E ele até lhe tinha perguntado:

– Ouve, Viges, podes ceder-me o quarto do canto?

– Os que o senhor quiser, dom Fulgor; se quiser, ocupe--os todos. Os seus homens vão ficar cá a dormir?

– Não, só um. Não te preocupes connosco e vai-te deitar. Deixa-nos só a chave.

– Pois desde já lhe digo, dom Fulgor – disse-lhe Toribio Aldrete – Que ninguém se atreva a menosprezar o homem que é; mas anda a atazanar-me com esse filho da puta do seu patrão.

Recordava-se. Foi a última coisa que o ouviu dizer na posse dos cinco sentidos. Depois comportara-se como um cobarde, começando a gritar. «Dizem que tenho muito poder por trás! Qual quê.»

Bateu com o cabo do chicote na porta da casa de Pedro Páramo. Pensou na primeira vez que o fizera, duas semanas antes. Esperou um bom bocado, tal como tivera de esperar daquela vez. Também observou, tal como da outra vez, o laço de fitas negro que pendia do umbral da porta. Mas não comentou para si próprio: «Ora esta! Puseram-nos lá em cima. O primeiro já está desbotado, o último reluz como se fosse de seda; embora não passe de um trapo tingido.»

Na primeira vez, esteve à espera até ser invadido pela possibilidade de a casa estar desabitada. E estava já de partida quando surgiu a figura de Pedro Páramo.

– Entra, Fulgor.

Era a segunda vez que se viam. Na primeira, só ele viu; o pequeno Pedro era recém-nascido. E esta. Quase podia dizer-se que era a primeira vez. E acabou por falar-lhe como a um igual. Ora esta! Seguiu-o com grandes passadas, chicoteando as pernas: «Depressa saberá que eu sou aquele que sabe. Sabê-lo-á. E ao que venho.»

– Senta-te, Fulgor. Aqui falaremos com mais tranquilidade.

Estavam no curral. Pedro Páramo encostou-se a uma mangedoura e ficou à espera:

– Porque é que não te sentas?

– Prefiro ficar de pé, Pedro.

– Como queiras. Mas não te esqueças do «dom».

Quem era aquele rapaz para lhe falar assim? Nem o seu pai, dom Lucas Páramo, se atrevera a fazê-lo. E de súbito este, que jamais parara na Meia-Lua nem sabia, nem sequer de ouvido, o que era trabalhar, falava-lhe como a um ganhão. Ora esta!

– Como é que aquilo vai?

Sentiu que a sua oportunidade chegara. «Agora é a minha vez», pensou.

– Mal. Não sobra nada. Vendemos até a última cabeça de gado.

Começou a abrir papéis para o informar acerca do montante que ainda estava em dívida. E ia dizer: «Devemos tanto», quando ouviu:

– Devemos a quem? Não me importa quanto, mas a quem.

Leu-lhe uma lista de nomes. E terminou:

– Não temos onde ir buscar este dinheiro. A questão é essa.

– E porquê?

– Porque a sua família o gastou todo. Pediam e pediam, sem devolver nada. E isso paga-se caro. Eu bem dizia. «A longo prazo, acabarão com tudo.» Bem, e acabaram. Embora haja por aí quem esteja interessado em comprar os terrenos. E pagam bem. Poderíamos saldar as dívidas pendentes e ainda sobraria algum dinheiro; embora, isso sim, algo minguado.

– Não serás tu?

– Como é que lhe pode passar pela cabeça que seja eu!

– Eu acredito em tudo, até em Nosso Senhor Jesus Cristo. Amanhã começamos a tratar dos nossos assuntos. Começaremos pelas Preciados. Dizes que é a elas que devemos mais dinheiro?

– Sim. E a quem pagámos menos. O seu pai sempre as deixou para último lugar. Tenho ouvido dizer que uma delas, Matilde, foi viver para a cidade. Não sei se para Guadalajara ou para Colima. E a Lola, quero dizer, a Dona Dolores, ficou responsável por tudo. O senhor sabe: o rancho de Enmedio. E é a ela que temos de pagar.

– Amanhã vais pedir a mão da Lola.

– Mas como é que espera que ela goste de mim, se já estou velho?

– Vais pedi-la para mim. Afinal, até tem alguma graça. Dir-lhe-ás que estou muito apaixonado por ela. Que te diga se aceita. De caminho, diz ao padre Rentería que prepare tudo. Quanto dinheiro tens?

– Nenhum, dom Pedro.

– Então promete-lhe. Diz-lhe que, assim que o tiveres, lho pagarás. Tenho quase a certeza de que ela não te levantará problemas. Faz isso já amanhã.

– E o assunto do Aldrete?

– A que propósito? Tu mencionaste as Preciados, os Fregosos e os Guzmanes. De onde é sai agora o Aldrete?

– É uma questão de limites de terras. Ele já mandou cercar e agora pede-nos que acabemos o que falta para fazer a divisão.

– Isso podes deixar para depois. Não te preocupes com as vedações. Não haverá vedações. A terra não tem divisões. Pensa nisto, Fulgor, mas não lho dês a entender. Para já, trata do assunto da Lola. Não te queres sentar?

– Sento-me já, dom Pedro. Palavra que estou a gostar de tratar consigo.

– Dirás à Lola isto e aquilo e que gosto dela. Isso é importante. E é verdade, Sedano, gosto dela. Por causa dos olhos, sabes? Vais fazer isso amanhã bem cedo. Reduzo-te as tuas tarefas como administrador. Esquece a Meia-Lua.

«Onde diabo terá o rapaz ido buscar tais manhas?» – pensou Fulgor Sedano enquanto regressava à Meia-Lua. – Eu não dava nada por ele. «É um inútil», era o que o meu defunto patrão, dom Lucas, dizia dele. «Um preguiçoso de primeira.» Eu concordava com ele. «Quando eu morrer, comece a procurar outro trabalho, Fulgor.» «Sim, dom Lucas.» «Também lhe digo, Fulgor, que tentei enviá-lo para o seminário para ver se isso lhe chega para pelo menos comer e manter a mãe quando eu lhes faltar; mas nem a isso se decide.» «O senhor não merece isso, dom Lucas.» «Não se pode contar com ele para nada, nem para que me sirva de bordão quando eu estiver velho. Saí-me mal, que quer você, Fulgor.» «É mesmo uma pena, dom Lucas.»

E agora isto. Se não tivesse tanta afeição pela Meia-Lua, nem teria vindo vê-lo. Teria partido sem avisar. Mas tinha apreço por aquela terra; por esses terrenos tão trabalhados e que ainda continuavam a aguentar o arado, dando cada vez mais de si... A querida Meia-Lua... E os seus comentários: «Vem cá, terrinha de Enmedio.» Via-a vir. Como se já cá estivesse. Afinal, o que significa uma mulher. «Ora esta!», disse. E chicoteou as suas pernas ao transpor a porta grande da fazenda.

Foi muito fácil enganar Dolores. Se até os olhos lhe reluziram e a cara se lhe descompôs.

– Perdoe-me que core, dom Fulgor. Não pensava que dom Pedro reparasse em mim.

– Não dorme, só a pensar em si.

– Mas ele tem tanto por onde escolher. Há tantas raparigas bonitas em Comala. Que vão elas dizer quando souberem?

– Ele só pensa em si, Dolores. Para além de si, em mais ninguém.

– O senhor arrepia-me, dom Fulgor. Nem sequer imaginava tal coisa.

– É que ele é um homem muito reservado. Dom Lucas Páramo, que descanse em paz, chegou a dizer-lhe que a senhora não era digna dele. E ele calou-se por obediência. Agora que ele já não existe, não há nenhum impedimento. Foi a sua primeira decisão: embora eu tenha demorado a cumpri-la por causa dos meus muitos afazeres. Marquemos a data do casamento para depois de amanhã. O que é que lhe parece?

– Não é muito cedo? Não tenho nada preparado. Preciso de encomendar o enxoval. Vou escrever à minha irmã. Ou não, melhor ainda, vou mandar-lhe um portador; mas seja como for, não estarei pronta antes de 8 de Abril. Hoje é dia 1. Sim, só no dia 8. Diga-lhe que espere uns diazinhos.

– Ele gostaria que fosse já. Se é por causa do enxoval, nós encarregamo-nos disso. A defunta mãe de dom Pedro espera que a senhora vista as suas roupas. Na família há esse hábito.

– Mas além disso há uma coisa prevista para os próximos dias. Coisas de mulheres, sabe. Oh, tenho tanta vergonha de lhe falar nisto, dom Fulgor. O senhor faz-me empalidecer. É a minha lua. Oh, que vergonha!

– E depois? O casamento não tem nada que ver com haver ou não haver lua. Tem que ver com o amor. E havendo isso, todas as outras coisas são dispensáveis.

– Mas o senhor não está a perceber-me, dom Fulgor.

– Percebo. O casamento será depois de amanhã.

E deixou-a de braços estendidos pedindo oito dias, nada mais.

«Não me posso esquecer de dizer a dom Pedro – que rapazinho esperto este Pedro! – de dizer-lhe que não se esqueça de dizer ao juiz que os bens são comuns. «Lembra-te, Fulgor, de lho dizer amanhã mesmo.»

Dolores, em contrapartida, correu para a cozinha com um jarro para encher de água quente: «Vou fazer que isto venha mais cedo. Que venha esta mesma noite. Mas, de qualquer forma, durará três dias. Não há remédio. Que felicidade! Oh, que felicidade! Obrigada, meu Deus, por me dar a dom Pedro.» E acrescentou: «Mesmo que depois se canse de mim.»

– Já está pedida em casamento e muito de acordo. O padre cura quer sessenta pesos para passar por cima dos banhos. Disse-lhe que a seu tempo lhe seriam pagos. Ele diz que precisa de arranjar o altar e que a mesa da sua sala de jantar está toda desconjuntada. Prometi-lhe que lhe enviávamos uma mesa nova. Diz que o senhor nunca vai à missa. Prometi-lhe que iria. E desde que a sua avó morreu que não lhe dão o dízimo. Disse-lhe para não se preocupar. Está combinado.

– Não pediste nada adiantado a Dolores?

– Não, patrão. Não me atrevi. A verdade é essa. Estava tão contente que não quis estragar o seu entusiasmo.

– És um miúdo.

«Ora esta! Um miúdo, eu. Com 55 anos em cima. Ele ainda mal começou a viver e eu já estou apenas a alguns passos da morte.»

– Não quis estragar-lhe o contentamento.

– Apesar de tudo, és um miúdo.

– Está bem, patrão.

– Na semana que vem, vais ter com o Aldrete. E dizes-lhe que tire a vedação. Invadiu terras da Meia-Lua.

– Ele fez bem as medições. É o que me consta.

– Pois diz-lhe que se enganou. Que calculou mal. Derruba a vedação, se for preciso.

– E as leis?

– Quais leis, Fulgor? A lei de agora em diante será feita por nós. Tens algum atravessado a trabalhar na Meia-Lua?

– Sim, há uns quantos.

– Então manda-os em comissão ao Aldrete. Vais processá-lo por «usufruto» ou outra coisa qualquer que te ocorra. E recorda-lhe que Lucas Páramo já morreu. Que comigo terá de fazer novos acordos.

O céu ainda estava azul. Havia poucas nuvens. O ar soprava lá em cima, ainda que cá em baixo se convertesse em calor.

Bateu novamente com o cabo do chicote, apenas para insistir, já que sabia que não abririam enquanto Pedro Páramo não estivesse para aí virado. Disse, olhando para a ombreira da porta: «São bonitas, estas fitas negras...»

Nesse momento, abriram a porta e ele entrou.

– Entra, Fulgor. Está arrumado o assunto de Toribio Aldrete?

– Está liquidado, patrão.

– Ainda temos de resolver a questão dos Fregosos. Deixa isso pendente. Agora estou muito ocupado com a minha «lua-de-mel».

– Esta aldeia está cheia de ecos. Parece que estão fechados no interior das paredes ou por baixo das pedras. Quando andas, sentes que vão pisando os teus passos. Ouves estalidos. Gargalhadas. Umas gargalhadas já muito velhas, como se estivessem cansadas de rir. E vozes já gastas pelo uso. Ouves tudo isso. Penso que chegará o dia em que estes sons se apagarão.

Era isto que Damiana Cisneros vinha a dizer-me enquanto atravessávamos a aldeia.

– Houve uma altura em que ouvi durante muitas noites o barulho de uma festa. Os sons chegavam até à Meia-Lua. Aproximei-me para ver aquilo e o que vi foi isto: o que estamos agora a ver. Nada. Ninguém. As ruas tão desertas como agora.

Depois, deixei de ouvir. É que a alegria cansa. Por isso não estranhei que aquilo acabasse.

– Sim – voltou a dizer Damiana Cisneros – Esta aldeia está cheia de ecos. Eu já não me assusto. Oiço os uivos dos cães e deixo-os uivar. E em dias de corrente de ar vê-se o vento a arrastar folhas de árvores quando aqui, como vês, não há árvores. Já houve, noutros tempos, porque se assim não fosse donde viriam estas folhas?

E o pior de tudo é quando ouves pessoas a conversar, como se as vozes saíssem de alguma fenda e, no entanto, tão claras que as reconheces. Nem mais nem menos, agora quando vinha a caminho, passei por um velório. Parei para rezar um pai-nosso. Estava a rezar quando uma mulher se afastou das outras e veio dizer-me:

«– Damiana! Roga a Deus por mim, Damiana!»

Afastou o manto e reconheci a cara da minha irmã Sixtina.

«– Que estás tu a fazer aqui? – perguntei-lhe.

Nessa altura, ela correu na direcção das outras mulheres e escondeu-se.

A minha irmã Sixtina, caso não saibas, morreu quando eu tinha doze anos. Era a mais velha. E na minha casa éramos dezasseis, agora calcula há quanto tempo está morta. E olha para ela agora, ainda a vaguear por este mundo. Por isso não te assustes se ouvires ecos mais recentes, Juan Preciado.

– A minha mãe também a avisou da minha chegada? – perguntei-lhe.

– Não. E a propósito, o que é feito da tua mãe?

– Morreu – disse.

– Já morreu? E de quê?

– Não cheguei a saber. Talvez de tristeza. Suspirava muito.

– Isso é mau. Cada suspiro é como um sorvo de vida de que uma pessoa se desfaz. Então morreu?

– Sim. Pensei que talvez a senhora soubesse.

– E por que razão saberia? Há muitos anos que não sei nada.

– Então como é que deu comigo?

– ...

– A senhora está viva, Damiana? Diga-me, Damiana!

E de repente fiquei só naquelas ruas vazias. As janelas das casas abertas de par em par, deixando entrar os ramos flexíveis das trepadeiras. Silvas esguias subiam pelos tijolos nus das paredes.

– Damiana! – gritei. – Damiana Cisneros!

Respondeu-me o eco: «... ana... neros... !... ana... neros...!»

Ouvi os cães a ladrar, como se eu os tivesse acordado.

Vi um homem atravessar a rua:

– Eh, tu! – chamei.

– Eh, tu! – respondeu-me a minha própria voz.

E, como se estivessem ao virar da esquina, ouvi algumas mulheres a conversar:

– Olha quem ali vem. Não é o Filoteo Aréchiga?

– É ele. Disfarça.

– É melhor irmos andando. Se vier atrás de nós, é porque gosta mesmo de uma de nós. Quem é que tu achas que ele vem a seguir?

– Tu, com certeza.

– Eu acho que é a ti.

– Já não corre. Ficou parado naquela esquina.

– Então não é nenhuma de nós, já viste?

– E se fosse mesmo uma de nós? O que é que achas?

– Não tenhas ilusões.

– Afinal, até foi melhor assim. Dizem por aí os boatos que é ele quem arranja raparigas para o dom Pedro. Do que nós escapámos.

– Ai sim? Não quero ter nada que ver com esse velho.

– É melhor irmos embora.

– Dizes bem. Vamos embora.

A noite. Muito para lá da meia-noite. E as vozes:

– ... Digo-te que se este ano o milho for bom, terei com que pagar-te. Agora se me correr mal, tens de aguentar.

– Não te exijo. Já sabes que fui condescendente contigo. Mas a terra não é tua. Puseste-te a trabalhar em terra alheia. Onde é que vais arranjar dinheiro para me pagar?

– E quem diz que a terra não é minha?

– Dizem que a vendeste a Pedro Páramo.

– Eu nem me aproximei desse senhor. A terra continua a ser minha.

– Isso dizes tu. Mas diz-se por aí que é tudo dele.

– Que venham dizer-me isso a mim.

– Olha, Galileo, eu a ti, aqui entre nós, aprecio-te. Por alguma razão és marido da minha irmã. E de que a tratas bem, ninguém duvida. Mas a mim não vais negar que vendeste as terras.

– Digo-te que não as vendi a ninguém.

– Pois são de Pedro Páramo. Ele decerto assim o decidiu. O dom Fulgor não veio ter contigo?

– Não.

– De certeza que amanhã o verás chegar. E se não for amanhã, será noutro dia.

– Pois então ou me mata ou morre; mas não levará a sua avante.

– *Resquiescat in* paz, ámen, cunhado. Por via das dúvidas.

– Voltarás a ver-me, verás. Não te preocupes por minha causa. Por alguma razão a minha mãe me curtiu bem a pele para me tornar resistente.

– Então até amanhã. Diz à Felícitas que esta noite não vou jantar. Não gostava de ter de contar depois que «estive com ele na véspera».

– Guardamos-te qualquer coisa para o caso de mudares de ideias.

Ouviu-se o ruído dos passos que se afastavam entre um barulho de esporas.

– ... Amanhã, quando amanhecer, foges comigo, Chona. Já tenho os animais aparelhados.

– E se o meu pai morre de raiva? Está tão velho... Nunca me perdoaria se, por minha causa, lhe acontecesse alguma coisa. Sou a única pessoa que tem para o ajudar a fazer as suas necessidades. E não há mais ninguém. Porque é que tens tanta pressa em raptar-me? Aguenta um bocadinho. Ele está quase a morrer.

– Disseste-me a mesma coisa há um ano. E até me atiraste à cara a minha falta de coragem, já que tu estavas, dizias, farta de tudo. Preparei as mulas e já estão prontas. Foges comigo?

– Deixa-me pensar.

– Chona! Tu não sabes quanto gosto de ti. Já não aguento de vontade, Chona. Por isso, ou vens comigo ou vens comigo.

– Deixa-me pensar. Compreende. Temos de esperar que ele morra. Falta-lhe tão pouco. Então irei contigo e não precisarás de me raptar.

– Há um ano também me disseste isso.

– E depois?

– É que eu tive de alugar as mulas. Já as tenho. Já estão à tua espera. Deixa que ele se avenha sozinho! Tu és bonita. És jovem. Não faltará uma velha para vir cuidar dele. Aqui há almas caridosas de sobra.

– Não posso.

– É claro que podes.

– Não posso. Faz-me pena, sabes? Por alguma coisa é meu pai.

– Então não se fala mais nisso. Vou ter com a Juliana, que morre de amores por mim.

– Está bem. Eu não te digo mais nada.

– Não me queres ver amanhã?

– Não. Não te quero ver mais.

Ruídos. Vozes. Rumores. Canções longínquas:

A minha namorada deu-me um lenço
Com orlas de chorar...

Em falsete. Como se fossem mulheres que cantassem.

Vi passar as carroças. Os bois avançando lentamente. O ranger das pedras sob as rodas. Os homens como se viessem adormecidos.

«... *Todas as madrugadas a aldeia treme à passagem das carroças. Vêm de todos os lados, cobertas de salitre, de maçarocas, de forragem. As suas rodas chiam fazendo vibrar as janelas, acordando as pessoas. É a hora a que se abrem os fornos e cheira a pão acabado de sair do forno. E de súbito, o céu pode troar. Cair chuva. Pode chegar a Primavera. Lá, habituar-te-ás aos "de repentes", meu filho.*»

Carroças vazias, remoendo o silêncio das ruas. Perdendo--se no obscuro caminho da noite. E as sombras. O eco das sombras.

Pensei regressar. Senti lá em cima as marcas do caminho por onde viera, como uma ferida aberta entre a negrura dos cerros.

Então, alguém me tocou nos ombros:

– O que faz você aqui?

– Vim procurar... – e ia dizer quem, quando me detive. – Vim procurar o meu pai.

– E porque é que não entra?

Entrei. Era uma casa com meio tecto por terra. As telhas no chão. O tecto no chão. E na outra metade, um homem e uma mulher.

– Vocês não estão mortos? – perguntei-lhes. E a mulher sorriu. O homem olhou-me seriamente.

– Está bêbedo – disse o homem.

– Está só assustado – disse a mulher.

Havia um candeeiro de petróleo. Havia uma cama de verga e um cabide onde estavam as roupas dela. Porque ela estava nua, tal como Deus a pôs no mundo. E ele também.

– Ouvimos alguém queixar-se e dar cabeçadas na nossa porta. E lá estava você. O que é que lhe aconteceu?

– Aconteceram-me tantas coisas que o melhor seria dormir.

– Nós já estávamos a dormir.

– Durmamos, então.

A madrugada foi apagando as minhas recordações.

Ouvia, de vez em quando, o som das palavras e notava a diferença. Porque as palavras que ouvira até então, só então o soube, não tinham qualquer som, não soavam; sentiam--se; mas sem som, como as que se ouvem nos sonhos.

– Quem será? – perguntava a mulher.

– Quem sabe – respondia o homem.

– Como é que terá vindo cá parar?

– Quem sabe.

– Parece que lhe ouvi dizer qualquer coisa acerca do pai.

– Eu também o ouvi dizer isso.

– Não andará perdido? Lembra-te de quando caíram aqui aqueles que diziam estar perdidos. Procuravam um lugar chamado Os Confins e tu disseste-lhes que não sabias onde é que isso ficava.

– Sim, lembro-me; mas deixa-me dormir. Ainda não amanheceu.

– Falta pouco. Se estou a falar contigo é para acordares. Pediste-me para te acordar antes do amanhecer. Por isso estou a fazê-lo. Levanta-te!

– E para que queres tu que eu me levante?

– Não sei para quê. Disseste-me ontem à noite para te acordar. Não me explicaste para quê.

– Nesse caso, deixa-me dormir. Não ouviste o que disse o outro quando chegou? Que o deixássemos dormir. Foi a única coisa que disse.

As vozes parecem afastar-se. O seu ruído parece perder--se. Como se se afogassem. Já ninguém diz coisa alguma. É o sono. E, passado algum tempo, outra vez:

– Acaba de mexer-se. Às tantas, está quase a acordar. E se nos vir aqui, vai fazer-nos perguntas.

– Que perguntas poderá fazer-nos?

– Bem. Alguma coisa terá de dizer, não?

– Deixa-o. Deve estar muito cansado.

– Tu achas?

– Cala-te de uma vez, mulher.

– Olha, está a mexer-se. Já viste como se remexe? Como se o sacudissem por dentro. Eu sei, porque já me aconteceu.

– O que é que já te aconteceu?

– Aquilo.

– Não sei do que falas.

– Não falaria se não me lembrasse, ao ver este a revolver-se, do que me aconteceu a mim na primeira vez que o fizeste. E de como me doeu e o muito que me arrependi disso.

– Disso o quê?

– De como me senti assim que fizeste aquilo, que, mesmo que tu não queiras, eu soube que não fora bem feito.

– E continuas a contar-me essa história? Porque é que não dormes e me deixas dormir?

– Pediste para te acordar. É o que eu estou a fazer. Valha-me Deus se não estou a fazer o que tu me pediste que fizesse. Vamos! Já vão sendo horas de te levantares.

– Deixa-me em paz, mulher.

O homem pareceu adormecer. A mulher continuou a resmungar; mas com uma voz muito baixa:

– Já deve ter amanhecido, porque há luz. Consigo ver o homem daqui e se o vejo é porque há luz suficiente para o ver. O Sol não tarda a despontar. Claro, isso nem se pergunta. Se calhar, o tal homem é algum malfeitor. E demos-lhe guarida. Não interessa se foi só por esta noite; a verdade é que o escondemos. E isso vai acabar por trazer-nos problemas... Vê só como se mexe, como não consegue sossegar. Se calhar já não pode com a sua alma.

O dia clareava. O dia desbarata as sombras. Desfá-las. O quarto onde me encontrava estava quente com o calor dos corpos adormecidos. Através das pálpebras chegava-me a alvorada. Sentia a luz. Ouvia:

– Revolve-se sobre si mesmo como um condenado. E tem todo o ar de ser mau homem. Levanta-te, Donis! Olha para ele. Esfrega-se contra o chão, retorcendo-se. Baba-se. Tem de ser alguém que deve muitas mortes. E tu nem sequer o reconheces-te.

– Deve ser um pobre homem. Dorme e deixa-nos dormir!

– E porque é que vou dormir se não tenho sono?

– Levanta-te e vai para onde não aborreças!

– É o que vou fazer. Vou acender o lume. E de caminho direi ao fulano que venha deitar-se aqui contigo, no lugar que eu lhe vou deixar.

– Diz-lhe.

– Não conseguirei. Terei medo.

– Então vai fazer o que tens a fazer e deixa-nos em paz.

– É o que vou fazer.

– E estás à espera de quê?

– Vou já.

Senti que a mulher saía da cama. Os seus pés descalços pisavam o chão e passavam por cima da minha cabeça. Abri e fechei os olhos.

Quando acordei, havia um sol de meio-dia. Junto a mim, um jarro de café. Tentei beber aquilo. Dei uns goles.

– Não temos mais nada. Perdoe-nos a pobreza. Estamos tão escassos de tudo, tão escassos...

Era uma voz de mulher.

– Não se preocupe por minha causa – disse-lhe. – Por mim, não se preocupe. Estou habituado. Como é que se sai daqui?

– Para onde?

– Seja para onde for.

– Há muitos caminhos. Há um que vai para Contla; outro que vem de lá. Outro ainda que vai direito à serra. Aquele que se vê daqui, que não sei para onde irá – e apontou-me o buraco do telhado, o sítio onde o tecto estava partido. – Este de cá, que passa pela Meia-Lua. E há ainda outro, que atravessa toda a terra e é o que vai até mais longe.

– Talvez tenha sido por esse que vim.

– Para onde vai?

– Vai para Sayula.

– Imagine. Eu julgava que Sayula ficava deste lado. Sempre quis conhecê-la. Dizem que por lá há muita gente, não é?

– A que há em todo o lado.

– Imagine. E nós aqui tão sós. Morrendo por conhecer ainda que seja apenas um bocadinho de vida.

– Onde foi o seu marido?

– Não é meu marido. É meu irmão; embora ele não queira que se saiba. Onde foi? Certamente foi buscar um bezerro chimarrão que anda por aí tresmalhado. Pelo menos, foi o que me disse.

– Há quanto tempo estão aqui?

– Desde sempre. Nascemos aqui.

– Devem ter conhecido Dolores Preciado.

– Talvez ele, Donis. Eu sei tão pouco das pessoas. Nunca saio. Estive sempre aqui, onde me vê, eternamente... Bom, nem sempre. Só desde que ele fez de mim sua mulher. Desde então que aqui estou fechada porque tenho medo de ser vista. Ele não quer acreditar, mas não é verdade que eu meto medo? – e aproximou-se do sítio onde batia o sol – Olhe para a minha cara!

Era uma cara comum e vulgar.

– O que é que quer que eu veja?

– Não me vê o pecado? Não vê essas manchas arroxeadas que me cobrem de cima a baixo? E isso é só por fora; por dentro estou um mar de lodo.

– E quem pode vê-la se aqui não há ninguém? Percorri toda a aldeia e não vi ninguém.

– Isso julga você; mas ainda há algumas pessoas. Diga-me se Filomeno não vive, se Dorotea, se Melquiades, se Prudencio o velho, se Sóstenes e todos esses não vivem? O que se passa é que estão sempre fechados. De dia, não sei o que farão; mas as noites, passam-nas enclausurados. Por cá, essas horas estão cheias de pavores. Se você visse o gentio de almas que andam soltas pela rua. Assim que escurece, começam a sair. E ninguém gosta de as ver. São tantas, e nós tão poucos, que já nem nos damos ao trabalho de rezar para que saiam das suas penas. As nossas orações não chegariam para todos. Talvez lhes coubesse um pedaço de um pai-nosso. E isso não lhes pode servir para nada. Depois, ainda há que contar com os nossos pecados. Nenhum dos que ainda vivem está na graça de Deus. Ninguém pode erguer os olhos aos céus sem senti-los sujos de vergonha.

E a vergonha não se cura. Pelo menos foi o que me disse o bispo que por cá passou há algum tempo, para fazer confirmações. Eu pus-me diante dele e confessei-lhe tudo:

«– Isso é imperdoável – disse-me.

«– Estou envergonhada.

«– Não é remédio.

«– Case-nos!

«– Afastem-se!

«– Quis dizer-lhe que a vida nos juntara, acurralando--nos e pondo-nos ao pé um do outro. Estávamos tão sós aqui, que éramos as únicas pessoas. E era preciso povoar esta aldeia, de alguma maneira. Talvez já tenha a quem confirmar quando regressar.

«– Separem-se. É a única coisa que se pode fazer.

«– Mas como é que nós vamos viver?

«– Como vivem os homens.»

– E partiu, montado no seu macho, a cara fechada, sem olhar para trás, como se tivesse deixado cá a imagem da perdição. Nunca voltou. E é por isso que isto está cheio de almas; um verdadeiro vagabundear de gente que morreu sem perdão e que não o conseguirá de forma alguma, muito menos valendo-se de nós. Está a chegar. Está a ouvi--lo?

– Sim, ouço-o.

– É ele.

Abriu a porta.

– O que é que aconteceu com o bezerro? – perguntou ela.

– Decidiu não vir agora; mas fui seguindo o seu rasto e estou quase a descobrir por onde anda. Hoje à noite, apanho-o.

– Vais deixar-me sozinha à noite?

– Talvez sim.

– Não conseguirei suportá-lo. Preciso de te ter comigo. É a única hora a que me sinto em paz. À noite.

– Esta noite vou à procura do bezerro.

– Acabo de saber – intervim eu – que vocês são irmãos.

– Acaba de saber? Eu sei-o há muito mais tempo do que você. Por isso é melhor que não se meta. Não gostamos que falem de nós.

– Eu estava a falar por falar. Não por qualquer outra razão.

– O que é que o senhor sabe?

Ela pôs-se ao seu lado, apoiando-se nos seus ombros e dizendo também:

– O que é que o senhor sabe?

– Nada – disse eu. – Cada vez percebo menos – e acrescentei: – Gostaria de voltar ao lugar donde vim. Aproveitarei a pouca luz do dia que resta.

– É melhor esperar – disse-me ele. – Aguarde até amanhã. Não tarda a escurecer e os caminhos estão todos emaranhados de brenhas. Pode perder-se. Amanhã, eu encaminho-o.

– Está bem.

Através do tecto aberto, vi passar bandos de tordos, esses pássaros que voam ao entardecer antes da escuridão lhes fechar os caminhos. Depois, umas quantas nuvens já desfeitas pelo vento que vem para levar o dia.

Depois surgiu a estrela da tarde e, mais tarde, a Lua.

O homem e a mulher não estavam comigo. Saíram pela porta que dava para o pátio e quando regressaram já era noite. Por isso não souberam o que tinha acontecido enquanto estiveram fora.

E o que aconteceu foi isto:

Vinda da rua, entrou no quarto uma mulher. Era muito velha e magra como se lhe tivessem encolhido a pele. Talvez até me tenha visto. Talvez julgasse que eu estava a dormir. Foi direita ao sítio onde estava a cama e tirou uma arca debaixo dela. Inspeccionou-a. Pôs uns lençóis debaixo do braço e foi-se afastando em bicos de pés como se não quisesse acordar-me.

Eu fiquei quieto, sustendo a respiração, tentado olhar para o outro lado. Até que, por fim, consegui virar a cabeça e ver naquela direcção, onde a estrela da tarde se juntara à Lua.

– Tome isto! – ouvi.

Não me atrevia a virar a cabeça.

– Tome! Far-lhe-á bem. É água de flor de laranjeira. Sei que está assustado porque está a tremer. Com isto, terá menos medo.

Reconheci aquelas mãos e, ao erguer os olhos, reconheci a cara. O homem, que estava atrás dela, perguntou:

– Sente-se doente?

– Não sei. Vejo coisas e pessoas onde talvez vocês não vejam nada. Acaba de entrar aqui uma senhora. Vocês devem tê-la visto sair.

– Vai-te embora – disse-lhe a mulher. – Deixa-o só. Deve ser um místico.

– Temos de deitá-lo na cama. Olha como treme, de certeza que tem febre.

– Não lhe faças caso. Estes tipos põem-se neste estado para chamar a atenção. Conheci um na Meia-Lua que se dizia adivinho. O que nunca adivinhou foi que ia morrer quando o patrão adivinhou o embuste. Deve ser um místico desses. Passam a vida de aldeia em aldeia «a ver o que a Providência queira conceder-lhes»; mas aqui não vai encontrar quem lhe tire a fome. Vês como já parou de tremer? E está a ouvir-nos.

Como se o tempo tivesse retrocedido. Voltei a ver a estrela junto à Lua. As nuvens que se desfaziam. Os bandos de tordos. E depois a tarde, ainda cheia de luz.

As paredes reflectindo o sol da tarde. Os meus passos ecoando contra as pedras. O almocreve que me dizia: «Procure a dona Eduviges, se ainda for viva!»

Depois, um quarto às escuras. Uma mulher a ressonar ao meu lado. Notei que a sua respiração era irregular como se estivesse entre sonhos, ou antes, como se não dormisse e apenas imitasse os ruídos do sono. A cama era de verga coberta com mantas que cheiravam a urina, como se nunca tivessem sido arejadas ao sol; e a almofada era um enxergão cheio de cotão ou de uma lã tão dura ou tão suada que endurecera como madeira.

Junto dos meus joelhos, sentia as pernas nuas da mulher, e junto da minha cara, a sua respiração. Sentei-me na cama, apoiando-me naquela coisa dura como cimento que enchia a almofada.

– O senhor não dorme? – perguntou-me ela.

– Não tenho sono. Dormi todo o dia. Onde está o seu irmão?

– Partiu por esses caminhos. Você ouviu onde ele tinha de ir. Talvez não venha esta noite.

– Então sempre foi? Contra a sua vontade?

– Sim, e talvez não regresse. Foi assim que todos começaram. Agora vou aqui, agora vou mais além. Até que se afastaram tanto que era melhor que não voltassem. Ele sempre tentou ir-se embora e creio que agora chegou a sua vez. Talvez, sem que eu o soubesse, me tenha deixado consigo para que cuidasse de mim. Viu a sua oportunidade. A história do bezerro chimarrão foi apenas um pretexto. Vai ver que ele não volta.

Quis dizer-lhe: «Vou sair para tentar apanhar um pouco de ar porque sinto náuseas»; mas disse:

– Não se preocupe. Voltará.

Quando me levantei, disse-me:

– Deixei qualquer coisa na cozinha, em cima das brasas. É muito pouco; mas é algo que poderá acalmar-lhe a fome.

Encontrei um pedaço de carne seca e, sobre as brasas, algumas tortilhas.

– Foi tudo o que consegui arranjar-lhe – ouvi que me dizia, ao longe. – A minha irmã trocou-mas por dois lençóis limpos que eu tinha guardados desde o tempo da minha mãe. Ela deve ter vindo buscá-los. Não quis dizê-lo diante do Donis; mas era ela a mulher que você viu e que tanto o assustou.

Um céu negro, cheio de estrelas. E junto da Lua, a maior de todas as estrelas.

– Não me ouves? – perguntei em voz baixa. E a sua voz respondeu-me:

– Onde estás?

– Estou aqui, na tua aldeia. Junto da tua gente. Não me vês?

– Não, filho, não te vejo.

A sua voz parecia tudo abarcar. Perdia-se para além da Terra.

– Não te vejo.

Regressei ao meio tecto onde aquela mulher dormia e disse-lhe:

– Ficarei aqui, no meu canto. Ao fim e ao cabo, a cama é tão dura como o chão. Se precisar de alguma coisa, avise-me.

Ela disse-me:

– Donis não voltará. Vi-o nos seus olhos. Estava à espera de que viesse alguém para partir. Agora tu encarregar-te-ás de cuidar de mim. Ou será que não queres cuidar de mim? Vem dormir comigo.

– Estou bem aqui.

– É melhor vires para a cama. Aí as *turicatas*[3] comem-te.

Então fui e deitei-me com ela.

---

[3] Espécie de carraça, da família do *Ornithodoro turicata*, responsável pela transmissão do agente causal da febre recorrente que afecta sobretudo os animais. (*N. dos T.*)

O calor acordou-me por volta da meia-noite. E o suor. O corpo daquela mulher feito de terra, envolto em crostas de terra, desfazia-se como se estivesse a derreter-se num charco de lodo. Eu sentia-me nadar entre o suor que jorrava dela e faltou-me o ar necessário para respirar. Então levantei-me. A mulher dormia. Da sua boca borbotava um ruído de borbulhas muito parecido com um estertor.

Saí para a rua para apanhar ar; mas o calor que me perseguia não me largava.

E não havia ar; apenas a noite entorpecida e quieta, acalorada pela canícula de Agosto.

Não havia ar. Tive de sorver o mesmo ar que saía da minha boca, detendo-o com as mãos antes que partisse. Sentia-o ir e vir, cada vez menos; até que se fez tão fino que desapareceu por entre os meus dedos para sempre.

Digo para sempre.

Recordo-me de ter visto qualquer coisa como nuvens espumosas que faziam remoinhos sobre a minha cabeça e de, logo a seguir, enxaguar-me com aquela espuma e perder-me na sua turvação. Foi a última coisa que vi.

– Queres fazer-me crer que a falta de ar te matou, Juan Preciado? Eu encontrei-te na praça, muito longe da casa de Donis, e ele também estava ao meu lado, dizendo que tu estavas a fazer-te de morto. Arrastámos-te, os dois, para a sombra do portal, já muito rígido, contraído, como morrem os que morrem mortos de medo. Se não tivesse havido ar para respirar nessa noite de que falas, ter-nos-iam faltado as forças para te levar, quanto mais para te enterrar. E, como vês, enterrámos-te.

– Tens razão, Doroteo. Dizes que te chamas Doroteo?

– É a mesma coisa. Embora o meu nome seja Dorotea. Mas é a mesma coisa.

– É verdade, Dorotea. Foram os murmúrios que me mataram.

«Encontrarás lá o meu querer. O lugar que eu amei. Onde os sonhos me enfraqueceram. A minha aldeia, erguida sobre a planície. Cheia de árvores e de folhas, como um mealheiro onde guardámos as nossas recordações. Sentirás que, lá, uma pessoa gostaria de viver para sempre. O amanhecer; a manhã, o meio-dia e a noite, sempre os mesmos; mas com a diferença do ar. Lá, onde o ar muda a cor das coisas; onde a vida corre como se fosse um murmúrio; como se fosse um puro murmúrio da vida...»

– Sim, Dorotea. Os murmúrios mataram-me. Embora eu já trouxesse o medo comigo. Tinha-se vindo a acumular dentro de mim, até que já não consegui suportá-lo. E quando me deparei com os murmúrios, rebentaram-se-me as cordas.

«Cheguei à praça, tens razão. O bulício das pessoas levou-me até lá e julguei que existia realmente. Eu já não estava muito em mim; recordo que vim a apoiar-me às paredes como se caminhasse com as mãos. E os murmúrios pareciam libertar-se das paredes como se escapassem dentre as gretas e as fendas da cal. Eu ouvia-os. Eram vozes de pessoas; mas não vozes claras, antes sussurradas como se murmurassem qualquer coisa ao passar, ou como se zumbissem aos meus ouvidos. Afastei-me das paredes e continuei pelo meio da rua; mas continuava a ouvi-las, como se tivessem vindo comigo, adiante ou atrás de mim. Não sentia calor, como já te disse; pelo contrário, sentia frio. Desde que saí da casa daquela mulher que me emprestou a sua cama e que, como te dizia, a vi desfazer-se na água do seu suor, desde essa altura que o frio me invadiu. E conforme andava, o frio aumentava sempre mais até que a pele se me arrepelou. Quis voltar para trás porque pensei que, regressando, conseguiria encontrar o calor que acabava de deixar; mas pouco depois dei-me conta de que o frio provinha de mim, do meu próprio sangue. Reconheci, então, que estava assustado. Ouvi o grande alvoroço na praça e pensei que ali, no meio das pessoas, o medo diminuiria. Foi por isso que me encontraram na praça. Então o Donis sempre regressou? A mulher tinha a certeza de que jamais voltaria a vê-lo.»

– Já era manhã quando te encontrámos. Ele vinha não sei de onde. Não lhe perguntei.

– Bem, então cheguei à praça. Encostei-me a um pilar dos pórticos. Vi que não havia ninguém, embora continuasse a ouvir o murmúrio tal como o de muita gente num dia de mercado. Um rumor, sem tom nem som, parecido com o que faz o vento contra os ramos de uma árvore na noite, quando não se vêem nem as árvores nem os ramos, mas se ouve murmurar. Tal qual. Já não dei nem mais um passo. Comecei a sentir que aquele murmúrio se aproximava de mim e dava voltas em meu redor, apertado como um enxame, até que consegui distinguir algumas palavras quase vazias de som: «Roga a Deus por nós.» Foi o que ouvi dizerem-me. Nessa altura, gelou-se-me a alma. Foi por isso que vocês me encontraram morto.

– Melhor seria não teres saído da tua terra. O que é que tu vieste cá fazer?

– Comecei por te dizer isso. Vim à procura de Pedro Páramo que, ao que parece, era meu pai. Trouxe-me a esperança.

– A esperança? Isso sai caro. A mim tocou-me viver mais do que devia. Paguei com isso a dívida de encontrar o meu filho, que não foi, por assim dizer, senão mais uma ilusão; porque nunca tive nenhum filho. Agora que estou morta, dei tempo a mim própria para pensar e ficar a par de tudo. Nem sequer o ninho para o guardar Deus me deu. Só aquela longa vida arrastada que tive, levando de cá para lá os meus olhos tristes que sempre olharam de soslaio, como que à procura por trás das pessoas, suspeitando que alguém teria escondido o meu menino. E foi tudo culpa de um maldito sonho. Tive dois: a um, chamo-lhe «bendito», ao outro, «maldito». O primeiro foi o que me fez sonhar ter tido um filho. E enquanto vivi, nunca deixei de acreditar que fosse verdade; porque o senti entre os meus braços, tenrinho, cheio de boca e de olhos e de mãos; durante muito tempo conservei nos meus dedos a impressão dos seus olhos adormecidos e o palpitar do seu coração. Como é que eu poderia pensar que aquilo não era verdade? Levava-o comigo para onde quer que fosse, envolto no meu xaile e, de súbito, perdi-o. No Céu disseram-me que tinha havido um equívoco comigo. Que me tinham dado um coração de mãe, mas o seio de outra. Esse foi o outro sonho que tive. Cheguei ao Céu e aproximei-me para ver se reconhecia entre os anjos a cara do meu filho. E nada. As caras eram todas iguais, feitas com o mesmo molde. Então perguntei. Um daqueles santos aproximou-se de mim e, sem me dizer uma palavra, mergulhou uma das suas mãos no meu estômago como se a tivesse mergulhado num monte de cera. Quando a retirou, mostrou-me qualquer coisa como uma casca de noz: «Isto prova o que te demonstra.»

«Tu sabes como falam de forma esquisita lá em cima; mas nós compreendemo-los. Quis dizer-lhes que aquilo era apenas o meu estômago enrugado pelas fomes e pela pouca comida; mas um outro santo empurrou-me pelos ombros e mostrou-me a porta da saída: "Vai descansar um pouco mais na Terra, minha filha, e procura ser boa para que o teu Purgatório seja menos longo."

«Esse foi o sonho "maldito", que me deixou claro que eu nunca tivera qualquer filho. Soube-o tarde de mais, quando o corpo já se me tinha mirrado, quando a espinha me saltou por cima da cabeça, quando eu já não conseguia andar. E, para cúmulo, a aldeia foi ficando deserta; todos se fizeram à estrada para novos rumos e com eles partiu também a caridade de que eu vivia. Sentei-me à espera da morte. Desde que te encontrámos, os meus ossos resolveram ficar quietos. "Ninguém dará por mim", pensei. Sou algo que não estorva ninguém. Bem vês, nem sequer roubei espaço na terra. Enterraram-me na tua própria sepultura e coube muito bem na cova dos teus braços. Aqui neste cantinho onde agora me vês.

Apenas penso que deveria ter sido eu a abraçar-te. Ouves? Lá fora está a chover. Não sentes o bater da chuva?»

– Sinto como se alguém caminhasse sobre nós.

– Vamos, deixa-te de medos. Já ninguém te pode assustar. Tenta pensar em coisas agradáveis porque vamos estar muito tempo enterrados.

Ao amanhecer, caíram sobre a terra grossas gotas de chuva. Soavam ocas ao embaterem no pó branco e solto dos sulcos. Um pássaro trocista voou rasante e gemeu imitando o queixume de uma criança; adiante, ouviu-se o seu gemido como que cansado e, mais longe ainda, onde o horizonte começava a abrir-se, soltou um soluço e depois uma gargalhada, voltando depois a gemer.

Fulgor Sedano sentiu o cheiro da terra e veio à janela ver como a chuva desflorava os sulcos. Os seus olhos pequenos alegraram-se. Encheu três vezes o peito com aquele sabor e sorriu até mostrar os dentes.

«Ena! – disse. – Outro bom ano que nos cai em cima.» E acrescentou: «Vem, aguinha, vem. Deixa-te cair até te cansares! Depois afasta-te a correr, lembra-te de que abrimos arduamente toda a terra só para te agradar!»

E deu uma gargalhada.

O pássaro trocista que regressava de percorrer os campos passou quase diante dele e gemeu, com um gemido desgarrado.

A água conteve a sua chuva até que lá ao longe, onde a madrugada despontava, o céu se fechou e pareceu que a escuridão, que partia, regressava.

A porta grande da Meia-Lua rangeu ao abrir-se, salpicada pela brisa. Foram saindo, primeiro dois, depois outros dois, a seguir outros dois e por aí fora até serem duzentos homens a cavalo que se espalharam pelos campos chuvosos.

– Há que afastar o gado de Emmedio, para além de Estagua. Quanto ao gado de Estagua, levem-no para os cerros de Vilmayo – ia-lhes ordenando Fulgor Sedano, à medida que saíam. – E apressem-se, que vem aí uma carga de água!

Tantas vezes o disse, que os últimos já só ouviram: «De aqui para ali e de ali para mais acolá.»

Todos sem excepção levavam a mão ao chapéu para lhe dar a entender que já tinham percebido.

E mal acabara de sair o último homem quando entrou Miguel Páramo, o qual, sem se deter, se apeou do cavalo quase debaixo do nariz de Fulgor, deixando que o cavalo fosse sozinho à procura da sua manjedoura.

– De onde vens tu a estas horas, rapaz?

– Venho de ordenhar.

– Quem?

– Não adivinhas?

– Só pode ser a Dorotea, a *Cuarraca*[4]. É a única que gosta de crianças.

– És um imbecil, Fulgor; mas a culpa não é tua.

E partiu, sem tirar as esporas, para ir almoçar. Na cozinha, Damiana Cisneros fez-lhe a mesma pergunta:

– Mas de onde vens tu, Miguel?

– Andei por aí, a visitar mães.

– Não quero que te aborreças. Disfarça. Como queres que te façam os ovos?

– Como tu quiseres.

– Estou a falar-te com bons modos, Miguel.

– Percebo, Damiana. Não te preocupes. Ouve, tu conheces uma tal Dorotea, a quem chamam a Cuarraca?

– Sim. E se queres vê-la, está mesmo aqui à porta. Levanta-se sempre muito cedo para vir tomar o pequeno-almoço. É uma que traz uma trouxa no xaile que embala, dizendo ser o seu filho. Parece que lhe aconteceu uma desgraça em tempos; mas, como nunca fala, ninguém sabe o que foi. Vive de esmolas.

– Maldito velho! Vou fazer-lhe uma que até se lhe vão revirar os olhos!

---

[4] Termo que indica desequilíbrio («a Desequilibrada»). (*N. dos T.*)

Depois ficou a pensar se aquela mulher não lhe serviria para alguma coisa. E, já sem dúvidas, dirigiu-se à porta das traseiras da cozinha e chamou Dorotea:

– Chega aqui, vou propor-te um acordo – disse-lhe.

E quem sabe que tipo de proposta lhe terá feito, o certo é que quando voltou a entrar, esfregava as mãos:

– Venham daí esses ovos! – gritou a Damiana. E acrescentou: – De hoje em diante darás de comer a essa mulher o mesmo que me dás a mim, e nem precisas de te esforçar muito.

Entretanto, Fulgor Sedano foi ao celeiro verificar a altura do milho. A diminuição das reservas preocupava-o porque a colheita ainda tardava. Para dizer a verdade, ainda agora fora a sementeira. «Quero ver se chega.» Depois acrescentou: «Aquele rapaz! Igualzinho ao pai; mas começou demasiado cedo. Por este andar, não creio que chegue lá. Esqueci-me de lhe dizer que ontem o vieram acusar de ter matado alguém. Se continuar assim...»

Suspirou e tentou imaginar onde estariam já os vaqueiros. Porém, o potro alazão de Miguel Páramo, que coçava o dorso contra a vedação, distraiu-o. «Nem sequer lhe tirou a sela», pensou. «Nem o fará. Dom Pedro, pelo menos, é mais consequente e tem os seus momentos de calma. Embora consinta muita coisa a Miguel. Ontem comuniquei-lhe o que o filho tinha feito e respondeu-me: "Habitua-te à ideia de que fui eu, Fulgor: ele é incapaz de fazer tal coisa; ainda não tem força para matar alguém. Para isso é preciso ter rins deste tamanho." E afastou as mãos como se medisse uma abóbora. "Culpem-me de tudo o que ele fizer."»

– Miguel dar-lhe-á muitas dores de cabeça, dom Pedro. Gosta da vadiagem.

– Deixa-o andar. Não passa de um miúdo. Quantos anos fez? Terá uns dezassete. Não é verdade, Fulgor?

– Talvez seja. Lembro-me de que o trouxeram recém-nascido, parece-me que foi ontem; mas é tão violento e vive tão depressa que às vezes me parece que anda a correr contra o tempo. Acabará por perder, vai ver.

– Ainda é uma criança, Fulgor.

– Será o que o senhor disser, dom Pedro, mas aquela mulher que cá veio chorar ontem, afirmando que o seu filho lhe matara o marido, estava completamente desconsolada. Eu sei avaliar o desconsolo, dom Pedro. E essa mulher trazia-o de sobra. Ofereci-lhe cinquenta hectolitros de milho para que esquecesse o assunto; mas não os quis. Prometi-lhe então que arranjaríamos forma de corrigir o dano. Não se conformou.

– De quem se tratava?

– É gente que não conheço.

– Não tens razão para te preocupares, Fulgor. Essa gente não existe.

Chegou ao celeiro e sentiu o calor do milho. Agarrou numa mão-cheia para ver se o gorgulho não o atingira. Mediu a altura: «Vai render – disse. – Assim que o pasto crescer, já não vamos precisar de dar milho ao gado. Há de sobra.»

No regresso, olhou para o céu cheio de nuvens: «Teremos água durante bastante tempo.» E esqueceu-se de tudo o resto.

– Lá fora, o tempo deve estar a mudar. A minha mãe dizia-me que mal começava a chover tudo se enchia de luzes e do cheiro verde dos rebentos. Contava-me como chegava a maré das nuvens, como se lançavam sobre a terra e a descompunham alterando-lhe as cores... A minha mãe, que viveu a sua infância e os seus melhores anos nesta aldeia e que nem sequer pôde vir morrer cá. Até para isso me enviou em seu lugar. É curioso, Dorotea, como não cheguei sequer a ver o céu. Pelo menos esse, quem sabe, será o mesmo que ela conheceu.

– Não sei, Juan Preciado. Há já tantos anos que não erguia a cara que me esqueci do céu. E ainda que o tivesse feito, que teria eu ganho? O céu está tão alto e os meus olhos tão sem olhar, que vivia contente só por saber onde ficava a terra. Aliás, perdi todo o interesse que nele tinha desde que o padre Rentería me garantiu que nunca conheceria a Glória. Que nem de longe a veria... Foi por conta dos meus pecados, mas ele não mo deveria ter dito. A vida já de si é cheia de trabalhos. A única coisa que faz que alguém mexa os pés é a esperança de que, ao morrer, nos transportem de um lado para o outro; mas quando nos fecham uma porta e a que fica aberta é apenas a do Inferno, mais valia não ter nascido... O Céu para mim, Juan Preciado, está aqui onde estou agora.

– E a tua alma? Para onde pensas tu que terá ido?

– Deve andar a vaguear pela terra como tantas outras; à procura de vivos que rezem por ela. Talvez me odeie por tê-la tratado tão mal; mas isso já não me preocupa. Descansei o vício dos seus remorsos. Amargava-me até o pouco que comia e tornava-me as noites insuportáveis enchendo-mas de pensamentos inquietos com figuras de condenados e coisas dessas. Quando me sentei para morrer, ela implorou-me que me levantasse e continuasse a arrastar a vida, como se ainda esperasse um milagre que me limpasse as culpas. Nem sequer tentei: «É aqui que termina o caminho – disse-lhe. – Já não me restam forças para mais.» E abri a boca para que partisse. E partiu. Senti quando me caiu nas mãos o fiozinho de sangue que a amarrava ao meu coração.

Bateram à sua porta; mas ele não respondeu. Ouviu-os seguir caminho, batendo a todas as portas, acordando as pessoas. A correria que transportava Fulgor – conheceu-o pelos passos – até à porta grande parou por instantes, como se fizesse tenção de voltar a bater. Depois continuou a correr.

Barulho de vozes. Arrastar de passos longos como se carregassem algo pesado.

Ruídos vagos.

Veio-lhe à memória a morte do seu pai, também numa madrugada como esta; embora a porta estivesse então aberta deixando entrever a cor cinzenta de um céu feito de cinza, triste, como fora nesse dia. E uma mulher que continha o pranto, encostada à porta. Uma mãe da qual ele já se esquecera e esquecera tantas vezes e que lhe dizia: «Mataram o teu pai!» Com aquela voz quebrada, desfeita, unida apenas pelo fio do soluço.

Nunca quis reviver essa memória porque lhe trazia outras, como se rasgasse um saco repleto de cereal e depois quisesse conter o grão. A morte do seu pai, que trouxe consigo outras mortes e em todas estava sempre a imagem da cara despedaçada; um olho desfeito, o outro olhando vingativo. E outra e outra ainda, até que a apagara da memória quando já não havia ninguém que lha evocasse.

– Pousem-no aqui! Não, assim não. Têm de o pôr com a cabeça para trás. Tu! Estás à espera de quê?

Tudo em voz baixa.

– E ele?

– Ele dorme. Não o acordem. Não façam barulho.

Ali estava ele, enorme, observando a manobra de enfiar um corpo em sacos velhos, amarrado com cordas como se o tivessem amortalhado.

– Quem é? – perguntou.

Fulgor Sedano aproximou-se dele e disse-lhe:

– É Miguel, dom Pedro.

– O que é que lhe fizeram? – gritou.

Esperava ouvir: «Mataram-no.» E antecipava já a sua fúria, desvairada de rancor; mas ouviu as palavras suaves de Fulgor Sedano que lhe diziam:

– Ninguém lhe fez nada. Apenas encontrou a morte.

Havia candeeiros de petróleo alumiando a noite.

– ... Matou-o o cavalo – atreveu-se alguém a dizer.

Estenderam-no na sua cama, atirando o colchão para o chão, deixando à mostra as simples tábuas onde acomodaram o corpo já liberto das cordas com que o tinham transportado. Colocaram-lhe as mãos sobre o peito e taparam-lhe a cara com um pano negro. «Parece maior do que era», disse baixinho Fulgor Sedano.

Pedro Páramo ficara sem qualquer expressão, como se estivesse ausente. Na cabeça, os pensamentos sucediam-se sem se alcançarem ou sem se chegarem a juntar. Por fim, disse:

– Estou a começar a pagar. Mais vale começar cedo, para acabar depressa.

Não sentiu dor.

Quando falou às pessoas reunidas no pátio para lhes agradecer a presença, abrindo caminho à sua voz por entre o choro das mulheres, não perdeu nem o fôlego nem as palavras. Depois, ouviu-se apenas o resfolegar do potro alazão de Miguel Páramo.

– Amanhã mandas matar aquele animal para que não continue a sofrer – ordenou a Fulgor Sedano.

– Está bem, dom Pedro. Percebo. O pobre animal deve sentir-se desolado.

– Concordo, Fulgor. E já agora diz às mulheres que não façam tanto escândalo, é demasiado alvoroço por causa do meu morto. Se fosse delas, não chorariam com tanta vontade.

O padre Rentería recordar-se-ia por muitos anos da noite em que a dureza da sua cama o manteve acordado, obrigando-o depois a sair. Foi a noite em que morreu Miguel Páramo.

Percorreu as ruas solitárias de Comala, assustando com os seus passos os cães que farejavam o lixo. Chegou ao rio e ali esteve, observando nas águas tranquilas o reflexo das estrelas que caíam do céu. Durante várias horas debateu-se com os seus pensamentos, atirando-os à água negra do rio.

«Tudo começou – pensou – quando Pedro Páramo, que era tão baixo, começou a crescer. Foi crescendo como uma erva daninha. O mal de tudo isto é que tudo foi proporcionado por mim: "Confesso, padre, que ontem dormi com Pedro Páramo." "Confesso, padre, que tive um filho de Pedro Páramo". Sempre esperei que ele viesse confessar-me alguma coisa; mas nunca o fez. E depois esticou os braços da sua maldade com esse seu filho. Que reconheceu, só Deus sabe porquê. O que sei é que fui eu quem pôs nas suas mãos esse instrumento.»

Tinha bem presente o dia em que lho tinha levado, acabado de nascer. Dissera-lhe:

– Dom Pedro, a mãe morreu ao dá-lo à luz. Disse que era seu. Aqui o tem.

E ele não duvidou, limitando-se a dizer:

– Porque não fica com ele, padre? Faça-o cura.

– Com o sangue que lhe corre nas veias, não quero ter essa responsabilidade.

– Acredita mesmo que eu tenho mau sangue?

– Sim, acredito, dom Pedro.

– Provar-lhe-ei que não é verdade. Deixe-mo aqui. Não falta quem cuide dele.

– Foi precisamente o que pensei. Pelo menos consigo não lhe faltará sustento.

O rapazinho contorcia-se, pequeno que era, como uma víbora.

– Damiana! Toma conta desta coisa. É meu filho.

Depois abrira uma garrafa.

– Vou beber à saúde da defunta e à sua.

– E à dele?

– À dele também, porque não?

Encheu de novo o copo e ambos beberam ao futuro da criança.

Assim foi.

Começaram a passar as carroças a caminho da Meia-Lua.

Ele acocorou-se, escondendo-se na vegetação que circundava o rio. «De quem te escondes?», perguntou a si próprio.

– Adeus, padre! – ouviu dizerem-lhe.

Ergueu-se e respondeu:

– Adeus! Que o Senhor te abençoe.

As luzes da aldeia estavam a apagar-se. O rio encheu a sua água de cores luminosas.

– Padre, já soaram as matinas? – perguntou outro carroceiro.

– Já devem ter soado há muito tempo – respondeu ele. E caminhou em sentido contrário ao deles, fazendo tenções de não parar.

– Onde vai tão cedo, padre?

– Onde está o moribundo, padre?

– Morreu alguém em Contla, padre?

Quisera responder-lhes: «Eu. O morto sou eu.» Mas limitou-se a sorrir. Ao sair da aldeia, estugou o passo. Regressou já a manhã ia alta.

– Onde é que o senhor foi, tio? – perguntou-lhe Ana, a sua sobrinha. – Vieram muitas mulheres à sua procura. Queriam confessar-se porque amanhã é a primeira sexta-feira do mês.

– Que voltem à noite.

Deixou-se ficar por instantes quieto, sentado num banco do corredor, invadido pelo cansaço.

– Que fresco está o ar, não te parece, Ana?

– Está calor, tio.

– Eu não o sinto.

Não queria pensar que estivera em Contla, onde fizera confissão geral com o senhor cura e que este, apesar dos seus pedidos, lhe negara a absolvição:

– O homem cujo nome não queres pronunciar despedaçou a tua Igreja e tu consentiste. Que se pode esperar de ti, padre? Que fizeste da força de Deus? Quero convencer-me da tua bondade e de que lá és estimado por todos; mas não basta ser bom. O pecado não é bom. E para acabar com ele, temos de ser duros e impiedosos. Quero crer que todos continuam a ser crentes; mas não és tu quem mantém a sua fé; fazem-no por superstição e por medo. Quero ainda mais estar contigo na pobreza em que vives e no trabalho e nos cuidados que empregas todos os dias no cumprimento do teu dever. Sei quão difícil é a nossa tarefa nestas pobres aldeias onde nos mantêm desterrados; por isso mesmo tenho o direito de dizer-te que não podemos entregar o nosso serviço apenas a alguns, que te darão algo em troca da tua alma, e com a tua alma nas suas mãos, que poderás fazer para ser melhor do que aqueles que são melhores que tu? Não, padre, as minhas mãos não são suficientemente limpas para te dar a absolvição. Terás de ir buscá-la a outro lado.

– Quer o senhor dizer, senhor cura, que tenho de ir procurar a absolvição a outro lugar?

– Tens. Não podes continuar a consagrar os outros se tu próprio estás em pecado.

– E se suspenderem o meu ministério?

– Não creio que o façam, embora talvez o merecesses. Ficará à consideração deles.

– O senhor não poderia...? Provisoriamente, digamos... Preciso de dar os santos óleos... a comunhão. Morre tanta gente na minha aldeia, senhor cura.

– Padre, deixa que seja Deus a julgar os mortos.

– Então não pode ser?

E o senhor cura de Contla dissera que não.

Depois passearam ambos pelos corredores do edifício paroquial, sombreados de azáleas. Sentaram-se sob uma latada onde amadureciam as uvas.

– São ácidas, padre – antecipou-se o senhor cura à pergunta que ia fazer-lhe. – Vivemos numa terra em que tudo se dá, graças à Providência; mas em que tudo o que se dá é ácido. Estamos condenados a isso.

– O senhor tem razão, senhor cura. Lá em Comala tentei semear uvas. Não se dão. Só crescem murtas e laranjeiras; laranjas acres e murtas acres. Já esqueci o sabor das coisas doces. O senhor recorda-se das goiabas da China que tínhamos no seminário? Os pêssegos, as tangerinas, aquelas que bastava apertar para saltar a casca? Trouxe comigo algumas sementes. Poucas, só uma bolsinha... depois pensei que teria sido melhor deixá-las lá onde poderiam amadurecer, já que as trouxe para morrer.

– E todavia, padre, dizem que as terras de Comala são boas. É pena que estejam nas mãos de um só homem. Pedro Páramo ainda é o dono, não é?

– Assim é a vontade de Deus.

– Não creio que neste caso a vontade de Deus tenha qualquer intervenção. Não concordas comigo, padre?

– Por vezes, duvidei; mas ali reconhecem-no.

– E entre esses estás tu?

– Eu sou um pobre homem disposto a humilhar-se, enquanto sentir o impulso para o fazer.

Depois, tinham-se despedido. Ele, tomando-lhe as mãos e beijando-as. Contudo, agora, de volta à realidade, não queria voltar a pensar nessa manhã em Contla.

Levantou-se e foi até à porta:

– Onde vai, tio?

A sua sobrinha Ana, sempre presente, sempre junto dele, como se procurasse a sua sombra para se defender da vida.

– Vou andar um pouco, Ana. Para ver se arejo.

– Sente-se mal?

– Mal não, Ana. Mau. Um homem mau. É isso que sinto que sou.

Foi até à Meia-Lua e deu os pêsames a Pedro Páramo. Voltou a ouvir as suas desculpas pelas acusações que haviam feito ao seu filho. Deixou-o falar. Por fim, já nada tinha importância. Em troca, recusou o convite para almoçar com ele:

– Não posso, dom Pedro, tenho de estar cedo na igreja porque tenho um monte de mulheres à espera junto ao confessionário. Fica para outra vez.

Veio devagar e entardecia já quando entrou directamente na igreja, tal como vinha, cheio de pó e de miséria. Sentou-se a confessar.

A primeira a aproximar-se foi a velha Dorotea, que estava sempre lá, à espera que abrissem as portas da igreja. Sentiu que cheirava a álcool.

– O quê, agora embebedas-te? Desde quando?

– Estive no velório do Miguelito, padre. E passei das marcas. Deram-me tanto de beber, que acabei por fazer figura de palhaço.

– Nunca fizeste outra coisa, Dorotea.

– Mas agora trago pecados, padre. E de sobra.

Dissera-lhe em diversas ocasiões: «Não te confesses, Dorotea, só me vens tirar tempo. Tu já não podes cometer nenhum pecado, mesmo que queiras. Deixa o caminho livre para os outros.»

– Agora sim, padre. É a sério.

– Diz.

– Já que não posso causar-lhe qualquer prejuízo, digo--lhe que era eu quem arranjava as pequenas ao defunto Miguelito Páramo.

O padre Rentería, que pensava ter tempo para pensar, pareceu sair dos seus sonhos e perguntou quase por hábito:

– Desde quando?

– Desde que ele se tornou homenzinho. Desde que teve sarampo.

– Repete-me o que disseste, Dorotea.

– Que era eu quem arranjava as raparigas para o Miguelito.

– Levavas-lhas?

– Algumas vezes, sim. Outras, apenas as apalavrava. E com outras limitava-me a dar-lhe indicações. O senhor sabe: a hora a que estavam sozinhas e em que ele podia apanhá-las desprevenidas.

– Foram muitas?

Não queria dizer aquilo; mas a pergunta escapou-lhe por hábito.

– Até já lhes perdi a conta. Foram mais do que muitas.

– Que queres tu que eu faça contigo, Dorotea? Julga-te a ti própria. Vê se consegues perdoar-te.

– Eu não, padre. Mas o senhor pode. Por isso vim ter consigo.

– Quantas vezes vieste aqui pedir-me que te mandasse para o Céu quando morresses? Querias ver se lá encontravas o teu filho, não era, Dorotea? Pois bem, já não poderás ir para o Céu. Mas que Deus te perdoe.

– Obrigada, padre.

– Sim. Eu também te perdoo em nome Dele. Podes ir.

– Não me dá nenhuma penitência?
– Não precisas, Dorotea.
– Obrigada, padre.
– Vai com Deus.

Bateu com os nós dos dedos na janelinha do confessionário para chamar outra daquelas mulheres. E enquanto ouvia o Eu, pecador, a sua cabeça dobrou-se como se não conseguisse mantê-la erguida. Depois sobreveio a náusea, a confusão, o ir-se diluindo como que em água espessa, e o girar das luzes; toda a luz do dia que se esvaía, fazendo-se em fanicos; e o sabor a sangue na língua. O Eu pecador ouvia-se mais alto, repetido, e depois terminava: «pelos séculos dos séculos, ámen», «pelos séculos dos séculos, ámen», «pelos séculos...»

– Basta, já chega. – disse. – Há quanto tempo não te confessas?

– Dois dias, padre.

Ali estava outra vez. Como se a desventura o cercasse. «Que fazes aqui? – pensou. – Descansa. Vai descansar. Estás muito cansado.»

Levantou-se do confessionário e foi direito à sacristia. Sem virar a cabeça, disse àquela gente que estava à sua espera:

– Todos os que se sintam sem pecado, podem comungar amanhã.

Atrás dele, ouviu-se apenas um murmúrio.

Estou deitada na mesma cama em que morreu a minha mãe há muitos anos; no mesmo colchão; sob a mesma manta de lã negra com que nos tapávamos as duas para dormir. Nessa altura eu dormia ao seu lado, num espacinho que ela me arranjava debaixo dos seus braços.

Creio ainda sentir o ritmo pausado da sua respiração; as palpitações e suspiros com que ela embalava o meu sono... Creio sentir a pena da sua morte...

Mas isto é falso.

Estou aqui, de boca para cima, pensando nesse tempo para esquecer a minha solidão. Porque não estou deitada só por um bocadinho. E nem estou na cama da minha mãe, mas dentro de um caixão negro como o que se usa para enterrar os mortos. Porque estou morta.

Sinto o lugar onde estou e penso...

Penso no tempo em que amadureciam os limões. No vento de Fevereiro que partia os caules dos fetos antes que o abandono os secasse; nos limões maduros que enchiam com o seu aroma o velho pátio.

O vento descia das montanhas nas manhãs de Fevereiro. E as nuvens ficavam lá em cima à espera que o tempo bom as fizesse descer ao vale: entretanto, deixavam vazio o céu azul, deixavam que a luz caísse no jogo do vento descrevendo círculos sobre a terra, revolvendo o pó e batendo nos ramos das laranjeiras.

E os pardais riam; debicavam as folhas que o ar fazia cair, e riam; deixavam as suas penas entre as agulhas dos ramos e perseguiam as borboletas e riam. Era esse tempo.

Em Fevereiro, quando as manhãs se enchiam de vento, de pardais e de luz azul. Lembro-me.

A minha mãe morreu nessa altura.

Eu devia ter gritado; as minhas mãos deveriam ter-se despedaçado, esmagando o seu desespero. Assim terias querido que fosse. Mas porventura não era alegre, essa manhã? Pela porta aberta, o ar entrava, quebrando os ramos da hera. Nas minhas pernas, a penugem começava a crescer entre as veias e as minhas mãos tremiam, mornas, ao tocar os meus seios. Os pardais brincavam. No campo, debulhava-se as espigas. Lamentei que ela não voltasse a ver o vento a brincar nos jasmins; que fechasse os olhos à luz dos dias. Mas por que razão deveria chorar?

Lembras-te, Justina? Dispuseste as cadeiras ao longo do corredor para que quem viesse vê-la esperasse a sua vez.

Ficaram vazias. E a minha mãe, só, no meio dos círios; a sua cara pálida e os seus dentes brancos quase imperceptíveis entre os lábios arroxeados, endurecidos pela morte lívida. As suas pestanas já quietas; quieto já o seu coração. Tu e eu, ali, rezando terços intermináveis sem que ela ouvisse nada, sem que tu e eu ouvíssemos nada, tudo perdido na sonoridade do vento sob a noite. Passaste o seu vestido negro, engomando o colarinho e os punhos para que as suas mãos parecessem novas, cruzadas sobre o seu peito morto; o seu velho peito amoroso sobre o qual, a um tempo, dormi e que me deu de comer e palpitou para embalar os meus sonhos.

Ninguém veio vê-la. Foi melhor assim. A morte não se partilha como se de um bem se tratasse. Ninguém anda à procura de tristezas.

Tocaram na aldraba. Tu saíste.

– Vai lá tu – disse-te. – Eu vejo as caras desfocadas. E manda-as embora. Vêm por causa do dinheiro das missas gregorianas? Ela não deixou nenhum dinheiro. Diz-lhes, Justina. Não sairá do Purgatório se não lhe rezarem essas missas? Quem são eles para fazer justiça, Justina? Dizes que estou louca? Está bem.

E as tuas cadeiras ficaram vazias até que fomos enterrá-la, com aqueles homens contratados, suando por causa de um peso alheio, alheios a qualquer pena. Fecharam a sepultura com areia molhada; baixaram lentamente o caixão, com a paciência que caracteriza o seu ofício, sob o ar que lhes refrescava o esforço. Os seus olhos frios, indiferentes. Disseram: «É tanto.» E tu pagaste-lhes, como quem compra uma coisa, desatando o teu lenço molhado de lágrimas, espremido e voltado a espremer e que guardava agora o dinheiro dos funerais...

E quando eles partiram, ajoelhaste-te no lugar onde a sua cara tinha ficado e beijaste a terra e poderias ter aberto um buraco, se eu não te tivesse dito: «Vamos, Justina, ela está noutro sítio, aqui há apenas uma coisa morta.»

– Foste tu quem disse tudo isso, Dorotea?

– Quem, eu? Adormeci durante algum tempo. Continuam a assustar-te?

– Ouvi alguém a falar. Uma voz de mulher. Julguei que eras tu.

– Voz de mulher? Julgaste que era eu? Deve ter sido a que fala sozinha. A da sepultura grande. Dona Susanita. Está enterrada aqui ao nosso lado. A humidade deve ter-lhe chegado e deve estar a revirar-se durante o sono.

– E quem é ela?

– A última esposa de Pedro Páramo. Uns dizem que estava louca. Outros, que não. A verdade é que já em vida falava sozinha.

– Deve ter morrido há muito tempo.

– Uh, sim! Há muito tempo. O que é que lhe ouviste dizer?

– Qualquer coisa acerca da sua mãe.

– Mas se ela nem mãe teve...

– Mas era disso que falava.

– ... Ou, pelo menos, não a trouxe quando veio. Mas espera. Agora recordo que ela nasceu aqui e que já era crescidinha quando desapareceram. E sim, a mãe morreu tísica. Era uma senhora muito estranha que estava sempre doente e não visitava ninguém.

– Isso diz ela. Que ninguém tinha ido ver a mãe quando morreu.

– Mas de que tempos falará ela? Claro que ninguém foi a sua casa por puro medo de apanhar a tuberculose. Lembrar-se-á disso, a marota?

– Era disso que falava.

– Quando voltares a ouvi-la, avisa-me, gostava de saber o que ela diz.

– Ouves? Parece que vai dizer qualquer coisa. Ouve-se um murmúrio.

– Não, não é ela. Isso vem de mais longe, de outro lado. E é voz de homem. O que se passa com estes mortos velhos é que quando lhes chega a humidade começam a revolver-se. E acordam.

«O Céu é grande. Deus esteve comigo esta noite. Não fora assim e não sei o que teria acontecido. Porque já era noite quando voltei a mim...»

– Ouve-lo melhor?

– Sim.

«... Tinha sangue por todo o lado. E quando me endireitei, salpiquei as pedras com o sangue das minhas mãos. E era meu. Montes de sangue. Mas não estava morto. Apercebi-me. Soube que dom Pedro não tencionava matar-me. Só de me pregar um susto. Queria saber se eu tinha estado em Vilmayo dois meses antes. No dia de São Cristóvão. No casamento. Qual casamento? Qual São Cristóvão? Eu chapinhava no meu sangue e perguntava-lhe: "Qual casamento, dom Pedro?" Não, não, dom Pedro, eu não fui. Talvez tenha passado por lá. Mas foi por acaso... Ele não tencionava matar-me. Deixou-me coxo, como podem ver, e manco, se quiserem. Mas não me matou. Dizem que se me torceu um olho desde essa altura, da má impressão. O certo é que me tornei mais homem. O Céu é grande. Não duvidem.»

– Quem será?

– Vá-se lá saber. Um entre tantos. Pedro Páramo causou tal mortandade depois de lhe matarem o pai que há quem diga que quase acabou com os que assistiram ao casamento que dom Lucas Páramo ia apadrinhar. E dom Lucas foi atingido de ricochete pois ao que parece a coisa era contra o noivo. E como nunca se chegou a saber de onde partira a bala que o atingiu, Pedro Páramo arrasou tudo. Isto passou-se no cerro de Vilmayo, onde havia uns ranchos dos quais já nem rasto há... Olha, agora sim, parece que é ela. Tu que tens bom ouvido, presta atenção. Depois contas-me o que disser.

– Não se consegue ouvir. Parece-me que não fala, só se queixa.

– E queixa-se de quê?

– Quem sabe.

– De alguma coisa será. Ninguém se queixa por nada. Apura a orelha.

– Queixa-se, apenas. Talvez Pedro Páramo a tenha feito sofrer.

– Não acredites nisso. Ele gostava dela. Eu diria que nunca gostou de nenhuma mulher como desta. Já lha entregaram sofrida e talvez louca. Tanto a amou, que passou o resto dos anos enterrado num cadeirão, olhando para o caminho por onde a tinham levado para o cemitério. Perdeu o interesse por tudo. Esvaziou as suas terras e mandou queimar as alfaias. Uns dizem que foi porque estava cansado, outros que foi apanhado pela desilusão; a verdade é que pôs toda a gente fora e sentou-se no seu cadeirão, de frente para o caminho.

«Desde então, a terra tornou-se baldia e quase em ruínas. Dava pena vê-la a encher-se de achaques com tanta praga que a invadiu assim que a abandonaram. De um momento para o outro, as pessoas sumiram-se; os homens debandaram em busca de outros "bebedouros". Recordo dias em que Comala se encheu de "adeuses" e até nos parecia coisa alegre irmos despedir-nos dos que partiam. E partiam fazendo tenções de voltar. Deixavam as suas coisas e as suas famílias a nosso cargo. Depois, alguns perguntavam pela família, não pelas coisas, e depois pareceram esquecer-se da aldeia e de nós, e até das suas coisas. Eu fiquei porque não tinha para onde ir. Outros, ficaram à espera de que Pedro Páramo morresse, pois diziam que lhes prometera deixar-lhes os seus bens e, com essa esperança, viveram ainda alguns. Mas passaram anos e anos e ele continuava vivo, sempre ali, como um espantalho em frente às terras da Meia-Lua.

«E quando lhe faltava pouco para morrer, vieram essas guerras dos "*cristeros*"[5] e a tropa deitou mão aos poucos homens que restavam. Foi então que comecei a morrer de fome e desde essa altura nunca mais me recompus.

---

[5] Partidários de um movimento revolucionário mexicano promovido pelo clero contra as reformas do presidente Plutarco Elías Calles (1926-29). (*N. dos T.*)

«E tudo por causa das ideias de dom Pedro, dos seus estados de alma. Apenas porque lhe morreu a mulher, a tal Susanita. Podes imaginar o quanto a amava.»

Foi Fulgor Sedano quem lhe disse:

– Patrão, sabe quem anda por aí?

– Quem?

– Bartolomé San Juan.

– E depois?

– Isso pergunto-me eu. Que virá cá fazer?

– Não tentaste descobrir?

– Não, tenho de o dizer. E não procurou casa. Veio directamente para a sua antiga casa. Desmontou e descarregou as malas, como se o senhor lha tivesse arrendado. Pelo menos, vi nele essa segurança.

– E que andas tu a fazer, Fulgor, que não descobres o que se passa? Não estás para isso?

– Fiquei um pouco desorientado quando falei com ele. Mas amanhã esclarecerei as coisas, se lhe parecer necessário.

– Quanto a amanhã, deixa comigo. Eu encarrego-me deles. Vieram os dois?

– Sim, ele e a mulher. Mas, como é que sabe?

– Não será a sua filha?

– Pois pela forma como a trata mais parece sua mulher.

– Vai dormir, Fulgor.

– Com a sua licença, senhor.

«Estive trinta anos à espera que regressasses, Susana. Esperei até ter tudo. Não só alguma coisa, mas tudo o que se pudesse conseguir para que não nos restasse qualquer desejo, só o teu, o desejo de ti. Quantas vezes convidei o teu pai para cá voltar, dizendo-lhe que precisava dele? Até recorrendo a enganos o fiz.

«Propus-lhe nomeá-lo administrador, só para te voltar a ver. E que me respondeu ele? «Não há resposta – dizia-me sempre o mensageiro. – O senhor dom Bartolomé rasga as suas cartas quando eu lhas entrego.» Mas soube pelo rapaz que te tinhas casado e depressa vim a saber que tinhas ficado viúva e estavas de novo a fazer companhia ao teu pai.

«Depois, o silêncio.

«O mensageiro ia e vinha e regressava sempre dizendo-me:

– Não os encontro, dom Pedro. Dizem-me que saíram de Mascota. E alguns dizem-me que para aqui e outros que para ali.

«E eu:

«– Não olhes a despesas, procura-os. Mesmo que a terra os tenha tragado.

«Até que um dia chegou e disse-me:

– Percorri toda a serra a perguntar onde se esconde dom Bartolomé San Juan, até que dei com ele, para ali perdido num buraco entre os montes, vivendo numa choupana feita de troncos, precisamente no lugar onde ficam as minas de La Andrómeda.

«Já nessa altura sopravam ventos estranhos. Dizia-se que havia gente sublevada. Chegavam-nos rumores. Foi isso que trouxe o teu pai até cá. Não por ele, segundo me dizia na sua carta, mas pela tua segurança, queria trazer-te para algum lugar que estivesse habitado.

«Senti que se abria o Céu. Tive vontade de correr para ti. De rodear-te de alegria. De chorar. E chorei, Susana, quando soube que por fim regressarias.»

– Há aldeias que sabem a desdita. Reconhecem-se sorvendo um pouco do seu ar velho e tímido, pobre e magro como tudo o que é velho. Esta é uma dessas aldeias, Susana.

«Lá, de onde vimos agora, pelo menos entretinhas-te vendo o nascimento das coisas: nuvens e pássaros, o musgo, lembras-te? Aqui, em contrapartida, não sentirás senão esse odor amarelo e azedo que parece libertar-se de tudo. É que esta é uma aldeia desditada; tudo está coberto de desdita.

«Ele pediu-nos que regressássemos. Emprestou-nos a sua casa. Deu-nos tudo aquilo de que podemos necessitar. Mas não devemos estar-lhe agradecidos. Somos desafortunados por estar aqui, porque aqui não teremos salvação alguma. Pressinto-o.

«Sabes o que me pediu Pedro Páramo? Eu já imaginava que tudo o que nos dava não era gratuito. E estava disposto a pagar-lhe com o meu trabalho, já que de alguma forma teríamos de o pagar. Contei-lhe tudo sobre La Andrómeda e fiz-lhe ver que aquilo tinha possibilidades, se fosse trabalhada com método. E sabes o que me respondeu? «A sua mina não me interessa, Bartolomé San Juan. A única coisa que quero de si é a sua filha. Esse foi o seu melhor trabalho.»

«Por isso, quer-te a ti, Susana. Diz que brincavas com ele quando eram crianças. Que já te conhece. Que chegaram a tomar banho juntos no rio quando eram pequenos. Eu não sabia; se tivesse sabido, ter-te-ia matado à cinturada.»

– Não duvido.

– Foste tu quem disse: não duvido?

– Fui.

– Então estás disposta a deitar-te com ele?

– Sim, Bartolomé.

– Não sabes que é casado e que teve uma infinidade de mulheres?

– Sim, Bartolomé.

– Não me chames Bartolomé. Sou teu pai!

Bartolomé San Juan, um mineiro morto. Susana San Juan, filha de um mineiro morto nas minas de La Andrómeda. Via com clareza. «Terei de ir lá morrer», pensou. Depois, disse:

– Disse-lhe que tu, embora viúva, continuas a viver com o teu marido ou, pelo menos, assim te comportas; tentei dissuadi-lo, mas o olhar turva-se-lhe quando lhe falo e assim que o teu nome surge, fecha os olhos. É, tanto quanto sei, a maldade em pessoa. É isso que Pedro Páramo é.

– E eu quem sou?

– Tu és minha filha. Minha. Filha de Bartolomé San Juan.

Na mente de Susana San Juan, as ideias começaram a caminhar, primeiro lentamente, depois estacaram, para depois desatarem a correr de tal forma, que não conseguiu senão dizer:

– Não está certo. Não está certo.

– Este mundo, que nos aperta por todos os lados, que vai esvaziando punhados do nosso pó aqui e ali, desfazendo--nos em pedaços como se orvalhasse a terra com o nosso sangue. Que fizemos nós? Porque nos apodreceu a alma? A tua mãe dizia que nos resta, pelo menos, a caridade de Deus. E tu nega-la, Susana. Porque me negas como teu pai? Estás louca?

– Não sabias?

– Estás louca?

– Claro que sim, Bartolomé. Não sabias?

– Sabias, Fulgor, que é a mulher mais bela que existe à face da Terra? Cheguei a acreditar que a tinha perdido para sempre. Mas agora não tenho vontade de voltar a perdê-la. Percebes-me, Fulgor? Diz ao seu pai que continue a explorar as minas. E lá... imagino que será fácil fazer desaparecer o velho naquelas paragens onde nunca ninguém vai. Não achas?

– Talvez.

– Tem de ser. Ela tem de ficar órfã. Estamos obrigados a amparar alguém. Não achas?

– Não parece difícil.

– Então vamos a isso, Fulgor, vamos a isso.

– E se ela descobre?

– Quem lho dirá? Diz-me, aqui entre nós, quem lho dirá?

– Tenho a certeza de que ninguém.

– Retira o «tenho a certeza de que». Retira-o já e verás como vai tudo correr bem. Lembra-te do trabalho que deu encontrar La Andrómeda. Manda-o para lá, para continuar a trabalhar. Que vá e volte. Que não lhe passe pela cabeça levar a filha com ele. Dela tomamos nós conta. Lá terá o seu trabalho, e aqui a sua casa. Diz-lhe isso, Fulgor.

– Volto a gostar de como age, patrão, parece que se lhe está a rejuvenescer a alma.

Sobre os campos do vale de Comala, a chuva cai. Uma chuva miúda, estranha nestas terras que só conhecem aguaceiros. É domingo. De Apango, desceram os índios com os seus rosários de camomila, o seu alecrim, os seus molhos de tomilho. Não trouxeram *ocote*[6], porque o *ocote* está molhado e nem terra de azinheira, porque também está molhada de tanto chover. Espalham as suas ervas sobre o chão, sob os arcos do pórtico, e esperam.

A chuva continua a cair nos charcos.

Entre os sulcos, onde o milho está a nascer, a água corre em rios. Os homens não vieram hoje ao mercado, ocupados a rasgar os sulcos para que a água procure novos leitos e não arraste o milho novo. Andam em grupos, navegando na terra alagada, à chuva, ligando com as mãos o milho e tentando protegê-lo para que cresça sem trabalho.

Os índios esperam. Sentem que é um mau dia. Talvez por isso, tremem debaixo dos seus «gabões» de palha molhados; não de frio, mas de temor. E vêem a chuva desfeita e o céu que não liberta as suas nuvens.

Ninguém vem. A aldeia parece estar abandonada. A mulher encomendou-lhes alguma linha de coser e um pouco de

[6] Nome de várias espécies de pinheiro americano, aromático e resinoso, abundante no México. (*N. dos T.*)

açúcar e, sendo possível e havendo, uma peneira para coar o *atole*[7]. O «gabão» torna-se-lhes pesado de humidade à medida que se aproxima o meio-dia. Conversam, contam anedotas e riem. A camomila brilha, salpicada pelo orvalho. Pensam: «Se ao menos tivéssemos trazido *pulque*[8], não fazia mal; mas o campo das piteiras está feito um mar de água. Enfim, o que é que se há-de fazer.»

Justina Díaz, coberta por um guarda-chuva, vinha pela rua direita que vem da Meia-Lua, contornando os jorros de água que borbotavam sobre a calçada. Fez o sinal da cruz e persignou-se ao passar pela porta da igreja matriz. Entrou. Os índios voltaram-se para a ver. Viu o olhar de todos, como se a esquadrinhassem. Estacou na primeira banca, comprou dez centavos de folha de alecrim e regressou, seguida pelos olhares em fila de todos aqueles índios.

«Está tudo tão caro hoje em dia – disse, ao retomar o caminho em direcção à Meia-Lua. – Este triste raminho de alecrim por dez centavos. Não chegará sequer para dar cheiro.»

Os índios levantaram as bancas ao escurecer. Entraram na chuva com os seus pesados fardos às costas; passaram pela igreja para rezar à Virgem, deixando-lhe um raminho de tomilho de esmola. Depois dirigiram-se para Apango, de onde tinham vindo. «Lá será outro dia», disseram. E, pelo caminho, iam contando piadas e rindo.

Justina Díaz entrou no quarto de Susana San Juan e pôs o alecrim sobre a estante. As cortinas fechadas impediam a entrada da luz, pelo que, naquela obscuridade, só se viam sombras, tudo era adivinhado. Supôs que Susana San Juan estaria a dormir; ela desejava que estivesse sempre adormecida. Sentiu-a assim e alegrou-se. Nessa altura, porém, ouviu um suspiro longínquo, como que saído de algum recanto daquela escura divisão.

---

[7] Bebida composta de farinha de milho dissolvida em água ou leite. (*N. dos T.*)

[8] Bebida alcoólica branca e espessa do planalto do México, obtida a partir da fermentação da seiva da piteira. (*N. dos T.*)

– Justina! – ouviu alguém chamar.

Ela virou a cabeça. Não viu ninguém, mas sentiu uma mão no seu ombro e a respiração nos seus ouvidos. A voz murmurava: «Sai daqui, Justina. Arruma os teus pertences e sai. Já não precisamos de ti.»

– Ela, sim, precisa de mim – disse, endireitando-se. – Está doente e precisa de mim.

– Já não, Justina. Eu ficarei aqui, a cuidar dela.

– É o senhor, dom Bartolomé? – e não esperou pela resposta. Deu aquele grito que desceu até aos homens e às mulheres que regressavam dos campos e que os fez dizer: «Parece ser um uivo humano; mas não parece ser de nenhum ser humano.»

A chuva amortece os ruídos. Continua ainda a ouvir-se, granizando as suas gotas, fiando o fio da vida.

– O que é que tens, Justina? Porque gritas? – perguntou Susana San Juan.

– Eu não gritei, Susana. Devias estar a sonhar.

– Já te disse que eu nunca sonho. Não acreditas em mim. Estou muito acordada. Ontem à noite não puseste o gato lá fora e não me deixou dormir.

– Dormiu comigo, entre as minhas pernas. Estava ensopado e por pena deixei-o ficar na minha cama; mas não fez barulho.

– Não, barulho não fez. Só passou a noite a dar voltas, saltando entre os meus pés e a minha cabeça e miando baixinho como se tivesse fome.

– Dei-lhe de comer e não se afastou de mim toda a noite. Estás outra vez a sonhar mentiras, Susana.

– Estou a dizer-te que passou a noite a assustar-me com os seus saltos. E embora o teu gato seja muito carinhoso, não o quero por perto quando estou a dormir.

– Tens visões, Susana. É isso que se passa. Quando Pedro Páramo chegar, dir-lhe-ei que já não te aguento. Não faltará boa gente que me dê trabalho. Nem todos são maníacos como tu nem passam a vida a mortificar uma pessoa como tu. Amanhã vou-me embora, levo o gato e ficarás tranquila.

– Daqui não sairás, maldita e condenada Justina. Não irás a parte nenhuma porque não encontrarás quem goste de ti como eu.

– Não, não partirei, Susana. Não partirei. Bem sabes que estou aqui para cuidar de ti. Não importa que me renegues, tomarei sempre conta de ti.

Cuidara dela desde que nascera. Embalara-a nos seus braços. Ensinara-a a andar. A dar aqueles passos que a ela pareciam eternos. Vira crescer a sua boca e os seus olhos «como que de doce». «O doce de hortelã-pimenta é azul. Amarelo e azul. Verde e azul. Misturado com hortelã-pimenta e uma sua espécie mais doce.» Mordia-lhe as pernas. Distraía-a dando-lhe os seios para mamar, que não tinham coisa alguma, que apenas serviam para brincar. «Brinca – dizia-lhe –, brinca com este teu brinquedo.» Poderia tê-la esmigalhado e feito em pedaços.

Lá fora ouvia-se o cair da chuva nas folhas das bananeiras, sentia-se como se a água fervesse sobre a água estagnada na terra.

Os lençóis estavam frios de humidade. Os canos borbotavam, faziam espuma, cansados de trabalhar durante o dia, durante a noite, durante o dia. A água continuava a correr, diluviando em incessantes borbulhas.

Era meia-noite e lá fora o barulho da água abafava todos os sons.

Susana San Juan levantou-se devagar. Endireitou-se lentamente e afastou-se da cama. Ali estava novamente o peso, aos seus pés, caminhando pela orla do seu corpo; tentando encontrar-lhe a cara:

– És tu, Bartolomé? – perguntou.

Pareceu-lhe ouvir a porta ranger, como quando alguém entrava ou saía. E depois apenas a chuva, intermitente, fria, rodopiando sobre as folhas das bananeiras, fervendo no seu próprio fervor.

Adormeceu e não acordou até a luz iluminar os tijolos vermelhos, aspergidos de orvalho na cinzenta manhã de um novo dia. Gritou:

– Justina!

E ela veio imediatamente, como se já ali estivesse, envolvendo o corpo numa manta.

– O que queres, Susana?

– O gato. Veio outra vez.

– Pobrezinha de ti, Susana.

Encostou-a ao seu peito, abraçando-a, até que ela conseguiu erguer a cabeça e lhe perguntou:

– Porque choras? Direi a Pedro Páramo que és boa para mim. Não lhe direi nada acerca dos sustos que me prega o teu gato, Justina. Não fiques assim, Justina.

– O teu pai morreu, Susana. Morreu anteontem à noite e hoje vieram dizer que já nada há a fazer; que já o enterraram; que não puderam trazê-lo porque o caminho é muito longo. Ficaste só, Susana.

– Então era ele – e sorriu. – Vieste despedir-te de mim. – disse, e sorriu.

Muitos anos antes, quando ela era ainda uma criança, ele dissera-lhe:

– Desce, Susana, e diz-me o que vês.

Estava pendurada pela corda que lhe magoava a cintura, que lhe fazia sangrar as mãos; mas não queria soltar-se: era como o único fio que a prendia ao mundo exterior.

– Não vejo nada, papá.

– Procura bem, Susana. Tenta encontrar alguma coisa.

E iluminou-a com a sua lanterna.

– Não vejo nada, papá.

– Vou descer-te mais. Avisa-me quando chegares ao chão.

Entrara por um pequeno buraco aberto entre as tábuas. Caminhara sobre tábuas podres, velhas, esfoladas e cheias de terra peganhenta:

– Desce mais, Susana, e encontrarás o que te digo.

E ela desceu, desceu no baloiço, fundindo-se na profundeza, com os pés a bambolear no «não encontro onde pôr os pés».

– Mais abaixo, Susana. Mais abaixo. Diz-me se vês alguma coisa.

E quando encontrou apoio, ali ficou, calada, porque emudeceu de medo. A lanterna circulava e a luz passava junto dela. E o grito lá de cima fazia-a estremecer:

– Dá-me o que aí está, Susana!

E ela agarrou a caveira entre as mãos e, quando a luz lhe bateu em cheio, soltou-a.

– É uma caveira de morto – disse.

– Deves encontrar mais alguma coisa perto dela. Dá-me tudo o que encontrares.

O cadáver desfez-se em canelas; o maxilar soltou-se como se fosse de açúcar. Foi-lhe dando bocado a bocado até chegar aos dedos dos pés e estender-lhe articulação a articulação. E a caveira primeiro; aquela bola redonda que se desfez entre as suas mãos.

– Procura outra coisa, Susana. Dinheiro. Rodelas de ouro. Procura-as, Susana.

Então ela não soube dela senão muitos dias depois entre o gelo, entre os olhares cheios de gelo do seu pai.

Por isso ria agora.

– Soube que eras tu, Bartolomé.

E a pobre da Justina, que chorava sobre o seu coração, teve de levantar-se ao ver que ela ria e que o seu riso se transformava em gargalhada.

Lá fora continuava a chover. Os índios tinham partido. Era segunda-feira e o vale de Comala continuava a afogar-se em chuva.

Os ventos continuaram a soprar durante todos esses dias. Os ventos que tinham trazido a chuva. A chuva partira, mas o vento ficara. Nos campos, o milharal arejou as suas folhas e deitou-se nos sulcos para se defender do vento. De dia era passageiro; retorcia as trepadeiras e fazia ranger as telhas nos telhados; mas de noite gemia, gemia longamente. Pavilhões de nuvens passavam em silêncio pelo céu como se caminhassem roçando a terra.

Susana San Juan ouve o bater do vento contra a janela fechada. Está deitada com os braços atrás da cabeça, pensando, ouvindo os ruídos da noite; como a noite vai e vem arrastada pelo sopro do vento sem quietude. Depois, a seca interrupção.

Abriram a porta. Uma rajada de ar apaga a candeia. Vê a escuridão e deixa de pensar. Sente pequenos sussurros. Depois, ouve o percutir do seu coração em palpitações desiguais. Através das pálpebras cerradas, entrevê a chama da luz.

Não abre os olhos. O cabelo está espalhado pela sua cara. A luz acende gotas de suor nos seus lábios. Pergunta:

– És tu, pai?

– Sou o teu pai, minha filha.

Entreabre os olhos. Olha como se uma sombra no tecto atravessasse os seus cabelos, com a cabeça sobre a sua cara. E a figura desfocada diante de si, por trás da chuva das suas pestanas. Uma luz difusa; uma luz no lugar do coração, em forma de coração pequeno que palpita como uma chama pestanejante. «O teu coração está a morrer de pena – pensa. – Já sei que vens contar-me que Florencio morreu; mas isso já eu sei. Não te aflijas pelos outros; não te preocupes comigo. Eu tenho a minha dor guardada num lugar seguro. Não deixes que o teu coração se apague.»

Endireitou o corpo e arrastou-o até onde estava o padre Rentería.

– Deixa-me consolar-te com o meu desconsolo! – disse, protegendo a chama da vela com as mãos.

O padre Rentería deixou-a aproximar-se; viu-a cercar com as mãos a vela acesa e depois juntar a cara ao pavio inflamado, até que o odor a carne chamuscada o obrigou a sacudi-la, apagando-a de um sopro.

Então a escuridão regressou e ela apressou-se a refugiar--se debaixo dos lençóis.

O padre Rentería disse-lhe:

– Vim confortar-te, filha.

– Então adeus, padre – respondeu ela. – Não voltes. Não preciso de ti.

E ouviu afastarem-se os passos que lhe deixavam sempre uma sensação de frio, de temor e de medo.

– Para que vens ver-me, se estás morto?

O padre Rentería fechou a porta e saiu para o ar da noite. O vento continuava a soprar.

Um homem a quem chamavam o Tartamudo chegou à Meia--Lua e perguntou por Pedro Páramo.

– O que queres dele?

– Quero falar com-com ele.

– Não está.

– Diz-lhe, ququando voltar, que venho da paparte de dom Fulgor.

– Vou procurá-lo; mas aguenta umas horas.

– Diz-lhe, é cocoisa urgente.

– Dir-lhe-ei.

O homem a quem chamavam o Tartamudo aguardou em cima do cavalo. Passado um bocado, Pedro Páramo, que nunca tinha visto, pôs-se à sua frente:

– Que desejas?

– Preciso de falar directamente com-com o patrão.

– Sou eu. Que queres?

– Pois, aapenas isto. Mataram dom Fulgor Sesedano. Eu estava com ele. Tínhamos ido pelo cacaminho dos «vazadouros» para descobrir porque escasseava a água. E era o que estávamos a fazer ququando vimos uma manada de homens que nos saltaram ao caminho. E no meio daquela multidão brotou uma voz que disse: «Esse eu coconheço. É o administrador da Meia-Lua.»

«De mim não fifizeram caso. Mas a dom Fulgor mandaram-no apear. Disseram-lhe que eram revolucionários. Que vinham por causa das suas terras. «Cocorra! – disseram a dom Fulgor. – Vá e diga ao seu patrão que já lá nos encontraremos!» E ele desembestou, espavorido. Não muito depressa porque era muito pepesado. Mataram-no enquanto cocorria. Morreu com-com uma perna em cima e outra em baixo.

«Nessa altura eu nem me mexi. Esperei que fosse de noinoite e aqui estou para lhe anunciar o que se passou.»

– E estás à espera de quê? Porque não te pões a mexer? Anda, vai dizer-lhes que estou aqui para o que quiserem dizer-me. Que venham falar comigo. Mas antes dá uma volta por La Consagración. Conheces o Tilcuate[9]? Deve lá estar. Diz-lhe que preciso de o ver. E avisa esses fulanos de que estou à espera deles assim que tiverem tempo disponível. Que tipo de revolucionários são eles?

– Não sei. É isso que eles didizem que são.

– Diz ao Tilcuate que preciso dele mais do que depressa.

– Assim farei, papatrão.

Pedro Páramo voltou a fechar-se no seu escritório. Sentia-se velho e abatido. Fulgor não o preocupava, que ao fim e ao cabo já estava «mais para lá do que para cá». Dera de si tudo o que tinha para dar; embora fosse muito servil, havia que o dizer. «De todo o modo, os *tilcuatazos* que tratem desses loucos», pensou.

Pensava mais em Susana San Juan, sempre metida no quarto, a dormir, e quando o não estava, era como se estivesse. Passara a noite anterior a pé, encostado à parede, observando através da pálida luz da candeia o corpo em movimento de Susana; a cara suada, as mãos agitando os lençóis, apertando a almofada até ao esmorecimento.

Desde que a trouxera para ali viver não sabia de outras noites passadas ao seu lado para além destas noites doridas,

---

[9] *Tilcuate:* serpente negra. (*N. dos T.*)

de interminável inquietude. E perguntava-se quando terminaria tudo aquilo.

Esperava que alguma vez. Nada pode durar tanto, não existe memória alguma, por mais intensa que seja, que não se apague.

Se ao menos soubesse o que a maltratava por dentro, o que a fazia revolver-se destapada, como se a despedaçassem até a inutilizarem.

Ele julgava conhecê-la. E ainda que assim não fosse, não seria porventura suficiente saber que era a criatura mais amada por ele à face da Terra? E que, além do mais, e isto era o mais importante, lhe serviria para se despedir da vida iluminando-se com aquela imagem que apagaria todas as outras recordações.

Mas qual era o mundo de Susana San Juan? Essa foi uma das coisas que Pedro Páramo nunca chegou a saber.

«O meu corpo sentia-se bem no calor da areia. Tinha os olhos fechados, os braços abertos, as pernas esticadas diante da brisa do mar. E o mar ali em frente, distante, deixando restos de espuma nos meus pés quando a sua maré subia...»

– Agora sim, é ela quem fala, Juan Preciado. Não te esqueças de me dizer o que ela diz.

«... Era cedo. O mar corria e descia em ondas. Libertava-se da espuma e partia, limpo, com a sua água verde, em ondas silenciosas.

«– No mar só sei tomar banho nua – disse-lhe. E ele seguiu-me no primeiro dia, também nu, fosforescente ao sair da água. Não havia gaivotas; só esses pássaros a que chamam "picos feios", que grunhem como se roncassem e que desaparecem quando o Sol se põe. Ele seguiu-me no primeiro dia e sentiu-se só, apesar de eu estar ali.

«– É como se fosses um "pico feio", um entre muitos – disse-me. – Gosto mais de ti à noite, quando estamos os dois na mesma almofada, debaixo dos lençóis, na escuridão.

«E partiu.

«Eu voltei. Voltaria sempre. O mar molha os meus tornozelos e parte: molha os meus joelhos, as minhas coxas; enlaça a minha cintura com o seu braço suave, envolve os meus seios; abraça o meu pescoço; toma os meus ombros. Então fundo-me nele, inteira. Entrego-me a ele no seu forte bater, no seu suave possuir, sem lhe negar nada.

«– Gosto de tomar banho no mar – disse-lhe.

«Mas ele não compreende.

«E no dia seguinte estava de novo no mar a purificar-me. A entregar-me às suas ondas.»

Quando a tarde caía, apareceram os homens. Vinham com carabinas e cartucheiras a tiracolo. Eram cerca de vinte. Pedro Páramo convidou-os para jantar. E eles, sem tirarem o chapéu, sentaram-se à mesa e esperaram calados. Só se ouviu sorver o chocolate quando lhes trouxeram o chocolate e mastigar tortilha atrás de tortilha quando lhes serviram os feijões.

Pedro Páramo observava-os. Não via caras conhecidas. Por trás dele, na sombra, o Tilcuate aguardava.

– Patrões – disse-lhes, quando viu que tinham acabado de comer –, em que mais posso servi-los?

– O senhor é o dono disto? – perguntou um deles, fazendo um gesto largo com a mão.

Mas alguém o interrompeu, dizendo:

– Aqui quem fala sou eu!

– Bem. Que desejam? – voltou a perguntar Pedro Páramo.

– Como vê, levantámo-nos em armas.

– E?

– E é tudo. Parece-lhe pouco?

– Mas porque é que o fizeram?

– Pois porque houve outros que também o fizeram. Não sabe? Dê-nos um instante que estão a chegar instruções e já lhe dizemos a causa. Não tarda estaremos cá.

– Eu sei a causa – disse outro. – E se quiser digo-lhe qual é. Rebelámo-nos contra o Governo e contra vocês porque já estamos fartos de vos suportar. Ao Governo, porque é rasteiro e a vocês porque não passam de uns bandidos desprezíveis e de uns viscosos ladrões. E do senhor Governo mais não digo porque lhe vamos dizer com balázios o que lhe queremos dizer.

– De quanto é que precisam para fazer a revolução? – perguntou Pedro Páramo. – Talvez eu possa ajudá-los.

– O senhor tem razão, Perseverancio. Não se te devia soltar a língua. Precisamos de arranjar um ricaço que nos financie e quem melhor do que o senhor aqui presente? Vejamos, tu, Casildo, aí quanto é que nos faz falta?

– Que nos dê o que a sua boa vontade quiser.

– Este «não dava água nem ao galo da Paixão». Aproveitemos estar aqui para lhe sacar de uma vez por todas até o milho que traz amontoado no seu bucho de porco.

– Acalma-te, Perseverancio. Às boas conseguem-se melhor as coisas. Vamos entender-nos. Fala tu, Casildo.

– Pois eu fazendo as contas por alto diria que uns vinte mil pesos não estariam mal para começar. Que vos parece? Ora quem sabe se não parecerá pouco ao senhor que tanta vontade tem de nos ajudar. Digamos então que cinquenta mil. De acordo?

– Vou dar-vos cem mil pesos – disse Pedro Páramo. – Quantos são vocês?

– Somos trezentos.

– Bom. Vou emprestar-vos outros trezentos homens para aumentarem o vosso contingente. Dentro de uma semana terão à vossa disposição quer os homens, quer o dinheiro. O dinheiro, ofereço-vos, os homens só empresto. Assim que já não precisarem deles, mandem-mos para cá. Está bem assim?

– Com certeza.

– Então até daqui a oito dias, meus senhores. E tive muito gosto em conhecê-los.

– Sim – disse o último a sair. – Lembre-se de que se não cumprir a sua palavra, ouvirá falar de Perseverancio, que é assim que me chamo.

Pedro Páramo despediu-se dele com um aperto de mão.

– Quem é que tu achas que é o chefe destes tipos? – perguntou mais tarde ao Tilcuate.

– Pois eu acho que é o barrigudo que estava no meio e nem levantou os olhos. Cheira-me que é ele... Engano-me muito poucas vezes, dom Pedro.

– Não, Damasio, o chefe és tu. O quê, não queres ir à revolta?

– Até já se está a fazer tarde! Com o que eu gosto da bulha!

– Agora já viste do que se trata, pelo que já nem precisas dos meus conselhos. Reúne trezentos rapazes da tua confiança e junta-te aos revoltosos. Diz-lhes que lhes levas as pessoas que eu lhes prometi. O resto já tu sabes como fazer.

– E do dinheiro, o que é que lhes digo? Também lhes dou?

– Vou dar-te dez pesos para cada um. Só para as despesas mais urgentes. Diz-lhes que o resto está aqui guardado e à disposição deles. Não é conveniente transportar tanto dinheiro por esses caminhos. Entre parêntesis: gostavas do ranchinho da Puerta de Piedra? Bom, é teu desde já. Vais levar um recado ao doutor Gerardo Trujillo, de Comala, e ele põe a propriedade em teu nome. Que me dizes, Damasio?

– Isso nem se pergunta, patrão. Embora com isso ou sem isso eu fizesse isto por puro gosto. Como se o senhor não me conhecesse. De qualquer modo, agradeço-lhe. Pelo menos a velha terá com que se entreter enquanto eu me divirto.

– E olha, de caminho leva umas quantas vacas. A esse rancho o que falta é movimento.

– Podem ser zebus?

– Escolhe as que quiseres e tantas quantas a tua mulher possa cuidar. E voltando ao nosso assunto, procura não te afastar muito dos meus terrenos para que, se vierem outros, vejam que o campo já está ocupado. E vem-me ver sempre que puderes ou tiveres alguma novidade.

– Ver-nos-emos, patrão.

– Que diz ela, Juan Preciado?

– Diz que escondia os pés entre as pernas dele. Os seus pés gelados como pedras frias e que ali se aqueciam como num forno onde se doura o pão. Diz que ele lhe mordia os pés dizendo que eram como pão dourado no forno. Que dormia aninhada, metendo-se dentro dele, perdida no nada ao sentir que a sua carne se quebrava, que se abria como um sulco aberto por um cravo ardente, depois morno, depois doce, dando golpes duros contra a sua carne tenra; sumindo-se, sumindo-se mais até ao gemido. Mas que lhe doera mais a sua morte. É isso que diz.

– A quem se refere?

– A alguém que morreu antes dela, certamente.

– Mas quem poderia ser?

– Não sei. Diz que na noite em que ele tardou a vir sentiu que tinha regressado já muito tarde, talvez de madrugada. Quase não notou, porque os seus pés, que tinham estado sós e frios, pareceram envolver-se em alguma coisa; que alguém os envolvia em alguma coisa e lhes dava calor. Quando acordou, encontrou-os enrolados num jornal que estivera a ler enquanto o esperava e que deixara cair no chão quando já não conseguia aguentar o sono. E que os seus pés ali estavam, envoltos no jornal, quando lhe vieram dizer que ele tinha morrido.

– O caixão onde a enterraram deve ter-se partido porque se ouve uma espécie de ranger de tábuas.

– Sim, eu também oiço.

Nessa noite, voltaram a suceder-se os sonhos. Porquê esse intenso recordar de tantas coisas? Porque não simplesmente a morte em vez dessa música terna do passado?

– Florencio morreu, senhora.

Que alto era aquele homem! Que alto! E a sua voz era dura. Seca como a terra mais seca. E a sua figura era indistinta, ou ter-se-ia tornado indistinta depois? Como se entre ela e ele se interpusesse a chuva. «Que dissera? Florencio? De que falava Florencio? Do meu? Oh, porque não chorei e me desfiz então em lágrimas para aliviar a minha angústia. Senhor, tu não existes! Pedi-te a tua protecção para ele! Que cuidasses dele por mim. Foi o que te pedi. Mas tu só te ocupas das almas. E o que eu quero dele é o corpo. Nu e quente de amor; fervendo de desejos; esquadrinhando o tremor dos meus seios e dos meus braços. O meu corpo transparente suspenso do seu. O meu corpo leve sustido e solto pela sua força. Que farei agora com os meus lábios sem a sua boca para os preencher? Que farei dos meus doridos lábios?»

Enquanto Susana San Juan se remexia inquieta, de pé, junto à porta, Pedro Páramo olhava-a e contava os segundos daquele novo sonho que já durava há muito. O azeite da candeia espirrava e a chama era cada vez mais fraca. Depressa se apagaria.

Se ao menos fosse dor o que ela sentia e não esses sonhos sem sossego, esses intermináveis e esgotantes sonhos, ele poderia tentar arranjar-lhe algum consolo. Assim pensava Pedro Páramo, de olhos fixos em Susana San Juan, seguindo cada um dos seus movimentos. Que aconteceria se ela também se apagasse quando se apagasse a chama daquela luz débil à qual a via?

Depois saiu, fechando a porta sem fazer barulho. Lá fora, o ar limpo da noite afastou de Pedro Páramo a imagem de Susana San Juan.

Ela despertou um pouco antes do amanhecer. Suada. Atirou as mantas pesadas para o chão e desfez-se até do calor dos lençóis. O seu corpo ficou então nu, refrescado pelo vento da madrugada. Suspirou e depois voltou a adormecer.

Foi assim que o padre Rentería a encontrou mais tarde; nua e adormecida.

– Sabe, dom Pedro, que derrotaram o Tilcuate?

– Sei que ontem à noite houve tiroteio, porque se ouviu o alvoroço; mas para além disso não sei mais nada. Quem te contou isso, Gerardo?

– Chegaram uns feridos a Comala. A minha mulher ajudou nisso das ligaduras. Disseram que eram da gente de Damasio e que tinham tido muitos mortos. Parece que se encontraram com uns que se dizem villistas[10].

– Que chatice, Gerardo! Vejo que vêm aí tempos difíceis. E tu, que pensas fazer?

– Vou-me embora, dom Pedro. Para Sayula. Lá, volto a estabelecer-me.

– Vocês, advogados, têm essa vantagem; podem levar o vosso património convosco para todo o lado, enquanto não vos partem o focinho.

– Não o creia, dom Pedro; estamos sempre a arranjar problemas. Além do mais, custa deixar pessoas como o senhor e sente-se a falta das deferências que tiveram para connosco. Estamos permanentemente a destruir o nosso mundo, se assim se pode dizer. Onde quer que lhe deixe os papéis?

– Não os deixes. Leva-os contigo. Ou será que não podes continuar encarregado dos meus assuntos lá para onde vais?

– Agradeço a sua confiança, dom Pedro. Agradeço-lha sinceramente. Embora faça a ressalva de que me será impossível. Certas irregularidades... Digamos... Testemunhos que

[10] Guerrilheiros partidário de Pancho Villa (Doroteo Arango Aránbula). (*N. dos T.*)

ninguém a não ser o senhor deve conhecer. Podem prestar--se a maus usos caso caiam noutras mãos. O mais seguro é ficarem consigo.

– Dizes bem, Gerardo. Deixa-os aqui. Vou queimá-los. Com papéis ou sem eles, quem pode contestar-me a propriedade do que tenho?

– Ninguém, indubitavelmente, dom Pedro. Ninguém. Com sua licença.

– Vai com Deus, Gerardo.

– Como disse?

– Digo que Deus te acompanhe.

O doutor Gerardo Trujillo saiu lentamente. Já estava velho; mas não o suficiente para dar aqueles passos tão curtos, tão sem ânimo. A verdade é que esperava uma recompensa. Servira dom Lucas, que descanse em paz, pai de dom Pedro; depois, e ainda, dom Pedro; a seguir, Miguel, filho de dom Pedro. A verdade é que esperava uma compensação. Uma retribuição grande e valiosa. Dissera à sua mulher:

– Vou despedir-me de dom Pedro. Sei que me gratificará. Creio poder dizer que com o dinheiro que ele me der poderemos estabelecer-nos bem em Sayula e viver folgadamente o resto dos nossos dias.

Mas porque será que as mulheres têm sempre uma dúvida? Recebem avisos do Céu ou quê? Ela não teve tanta certeza de que conseguisse alguma coisa:

– Terás de trabalhar muito duramente lá para poderes erguer a cabeça. Daqui não sacarás nada.

– Porque é que dizes isso?

– Eu sei.

Continuou a dirigir-se para a porta, atento a qualquer chamada: «Eh, Gerardo! Estou tão preocupado que nem pensei em ti. Mas devo-te favores que não se pagam com dinheiro. Aceita isto: é um presente insignificante.»

Mas a chamada não veio. Atravessou a porta e desfez o nó do cabresto com que o seu cavalo estava amarrado a uma coluna. Subiu para a sela e, a passo, esforçando-se por não se afastar muito para poder ouvir se o chamassem, encaminhou-se para Comala sem se desviar do caminho. Quando viu que a Meia-Lua se perdia atrás de si, pensou: «Seria rebaixar-me muito pedir-lhe um empréstimo.»

– Dom Pedro, regressei, pois não estou satisfeito comigo. Continuarei a tratar dos seus assuntos com muito gosto.

Disse-o, novamente sentado no escritório de Pedro Páramo, onde estivera não havia ainda meia hora.

– Está bem, Gerardo. Os papéis estão ali, onde os deixaste.

– Gostaria também... As despesas... A mudança... Um adiantamento mínimo de honorários... Algum extra, se o senhor assim o entender.

– Quinhentos?

– Não poderia ser um pouco, digamos, um bocadinho mais?

– Ficas satisfeito com mil?

– E se fossem cinco?

– Cinco quê? Cinco mil pesos? Não os tenho. Tu bem sabes que está tudo investido. Terras, animais. Tu sabes. Leva mil. Não creio que precises de mais.

Ficou a meditar. A cabeça caída. Ouvia o tilintar dos pesos em cima da secretária onde Pedro Páramo contava o dinheiro. Lembrava-se de dom Lucas, que lhe ficou sempre a dever os honorários. De dom Pedro, que abriu uma nova conta. De Miguel, seu filho: quantos amargos de boca lhe dera esse rapaz!

Livrou-o da prisão pelo menos umas quinze vezes, senão mais. E o assassínio daquele homem, como é que ele esse chamava? Rentería, é isso. O morto chamado Rentería, a quem puseram uma pistola na mão. Como estava assustado o Miguelito, embora depois lhe desse vontade de rir. Só isso, quanto teria custado a dom Pedro se as coisas tivessem ido até ao fim, dentro da legalidade? E as violações? Quantas vezes não teve ele de tirar do seu próprio bolso o dinheiro para que elas deixassem morrer o assunto: «Dá-te por satisfeita por ires ter um filho loirinho!», dizia-lhes.

– Aqui tens, Gerardo. Cuida bem deles, porque não renascem.

E ele, que ainda estava mergulhado nos seus pensamentos, respondeu:

– Sim, os mortos também não renascem – e acrescentou: – Infelizmente.

Faltava muito para a madrugada. O céu estava cheio de estrelas gordas, inchadas de tanta noite. A Lua saíra durante algum tempo e partira logo a seguir. Era uma dessas luas tristes que ninguém olha, de que ninguém faz caso. Ali esteve, algum tempo, desfigurada, sem dar luz alguma, e depois foi esconder-se atrás dos cerros.

Ao longe, perdido na escuridão, ouvia-se o bramido dos touros.

«Estes animais nunca dormem – disse Damiana Cisneros. – Nunca dormem. São como o Diabo, que anda sempre à procura de almas para as levar para o Inferno.»

Deu uma volta na cama, aproximando a cara da parede. Então ouviu as pancadas.

Susteve a respiração e abriu os olhos. Voltou a ouvir três pancadas secas, como se alguém batesse com os nós dos dedos na parede. Não aqui, junto dela, mas mais longe: mas na mesma parede.

«Valha-me Deus! Se aqueles não são os três toques de São Pascoal Bailão, que vem avisar algum devoto que chegou a hora da sua morte.»

E como há muito não ia às novenas, por causa do reumatismo, não se preocupou; mas teve medo e, mais ainda, curiosidade.

Levantou-se do catre sem fazer barulho e foi até à janela.

Os campos estavam negros. Todavia, conhecia-o tão bem que viu o corpo enorme de Pedro Páramo balouçar na janela da criada Margarita.

— Ah, este dom Pedro! — disse Damiana. — Continua mulherengo. O que não percebo é porque é que gosta de fazer tudo tão às escondidas; se me tivesse avisado, eu teria dito à Margarita que o patrão precisava dela esta noite e ele nem sequer teria tido a maçada de sair da cama.

Ao ouvir o bramido dos touros, fechou a janela. Estendeu-se no catre, cobrindo-se até às orelhas e depois pôs-se a pensar no que estaria a acontecer à criada Margarita.

Mais tarde teve de tirar a camisa de noite porque a noite começou a ficar quente...

— Damiana! — ouviu.

Nessa altura, ela era rapariga.

— Abre-me a porta, Damiana!

O coração tremia-lhe como se fosse um sapo a saltar entre as suas costelas.

— Mas para quê, patrão?

— Abre, Damiana!

— Mas já estou a dormir, patrão.

Depois sentiu que dom Pedro se afastava pelos longos corredores, dando as sapatadas que costumava dar quando estava agastado.

Na noite seguinte, ela, para evitar o desgosto, deixou a porta entreaberta e até se despiu para que ele não encontrasse dificuldades.

Mas Pedro Páramo jamais voltou a procurá-la. Por isso agora, que era chefe de todas as criadas da Meia-Lua, por se ter dado ao respeito, agora que já estava velha, ainda pensava naquela noite em que o patrão lhe disse:

«Abre-me a porta, Damiana!»

E deitou-se a pensar em como, àquela hora, a criada Margarita estaria feliz.

Depois voltou a ouvir outras pancadas; mas na porta grande, como se a estivessem a golpear à coronhada.

Voltou a abrir a janela e espreitou a noite. Não via nada; embora lhe parecesse que a terra estava cheia de fervores, como quando chove e fervilha de vermes. Sentia que algo se erguia como o calor de muitos homens. Ouviu o coaxar das rãs; os grilos, a noite quieta do tempo das águas. Depois voltou a ouvir as coronhadas na porta.

Uma lamparina espalhou a sua luz sobre a cara de alguns homens. Depois, apagou-se. «São coisas que a mim não me interessam», disse Damiana Cisneros, e fechou a janela.

– Soube que te derrotaram, Damasio. Porque é que permites que te façam isso?

– Informaram-no mal, patrão. A mim não me aconteceu nada. Tenho a minha gente toda inteira. Trago-lhe setecentos homens e outros tantos que se juntaram. O que aconteceu foi que alguns «velhos», aborrecidos de estarem ociosos, começaram a disparar contra um pelotão de carecas que afinal era um exército. Villistas, sabe?

– E de onde é que esses saíram?

– Vêm do Norte, arrasando tudo o que encontram. Parece, segundo se vê, que andam a percorrer a terra, a apalpar todos os terrenos. São poderosos. Isso ninguém lhes nega.

– E porque não te juntas a eles? Já te disse que temos de estar do lado de quem ganha.

– Já estou com eles.

– Então porque é que vieste ter comigo?

– Precisamos de dinheiro, patrão. Já estamos cansados de comer carne. Até já nos enjoa. E ninguém nos quer fiar. Foi por isso que viemos, para que o senhor providencie e não nos vejamos obrigados a roubar ninguém. Se andássemos longe, não nos importaríamos de dar uns golpes aos vizinhos; mas aqui todos temos parentes e temos remorsos de roubar. Assim, é de dinheiro que precisamos para comprar nem que seja uma tortilha com pimentão. Estamos fartos de comer carne.

– Agora vais pôr-te com exigências, Damasio?

– De modo nenhum, patrão. Estou a defender os rapazes; por mim, não me preocupo.

– Está certo que te preocupes com a tua gente; mas arranca a outros aquilo de que precisas. Eu já te dei. Conforma-te com o que te dei. E isto não é um conselho, nada disso, mas não te ocorreu assaltar Contla? Para que julgas tu que estás na revolução? Se andas a pedir esmola, estás atrasado. Mais valia que te fosses embora com a tua mulher tomar conta das galinhas. Lança-te sobre uma aldeia! Se andas a arriscar o couro, por que diabos não contribuem outros com qualquer coisa também? Contla está a fervilhar de ricos. Saca-lhes um pouco do que têm. Ou será que julgam que és ama seca deles e que existes para lhes tomar conta das coisas? Não, Damasio. Faz-lhes ver que não andas a brincar nem a divertir-te. Prega-lhes uma e verás como sais com algum desta confusão.

– Está bem, patrão. Aprendo sempre qualquer coisa consigo.

– Pois que te aproveite.

Pedro Páramo viu os homens afastarem-se. Sentiu desfilar diante dele o trote de cavalos escuros, confundidos com a noite. O suor e o pó; o tremor da terra. Quando viu os pirilampos novamente a luzir, deu-se conta de que todos os homens tinham partido. Ficava ele, só, como um tronco duro que começava a desgastar-se por dentro.

Pensou em Susana San Juan. Pensou na rapariguinha com que dormira há instantes. Naquele pequeno corpo assustado e trémulo que parecia que ia soltar o coração pela boca. «Punhadinho de carne», disse-lhe. E abraçara-se a ela tentando convertê-la na carne de Susana San Juan. «Uma mulher que não era deste mundo.»

No início da madrugada, o dia vai dando a volta, pausadamente; quase se ouvem os gonzos da Terra a girar, enferrujados; a vibração desta Terra velha que revolve a sua escuridão.

– É verdade que a noite está cheia de pecados, Justina?

– Sim, Susana.

– E é verdade?

– Deve ser, Susana.

– E o que é que tu pensas que a vida é, Justina, senão um pecado? Não ouves? Não ouves como a Terra range?

– Não, Susana, não consigo ouvir nada. A minha sorte não é tão grande como a tua.

– Ficarias assustada. Digo-te que ficarias assustada se ouvisses o que eu oiço.

Justina continuou a pôr ordem no quarto. Passou uma e outra vez o pano pelas tábuas húmidas do chão. Limpou a água da jarra partida. Recolheu as flores. Pôs os vidros no balde cheio de água.

– Quantos pássaros mataste tu na vida, Justina?

– Muitos, Susana.

– E não sentiste tristeza?

– Sim, Susana.

– Então, estás à espera de quê para morreres?

– Da morte, Susana.

– Se é só disso, não tardará. Não te preocupes.

Susana San Juan estava sentada na cama, recostada nas almofadas. Os olhos inquietos, olhando para todos os lados. As mãos sobre o ventre, presas ao ventre como uma concha protectora. Havia leves zumbidos que se cruzavam como asas por cima da sua cabeça. E o barulho das roldanas na nora. O rumor das pessoas ao acordar.

– Tu acreditas no Inferno, Justina?

– Sim, Susana. E também no Céu.

– Eu só acredito no Inferno – disse. E fechou os olhos.

Quando Justina saiu do quarto, Susana San Juan estava novamente a dormir e lá fora o sol brilhava. Cruzou-se com Pedro Páramo no caminho.

– Como está a senhora?

– Mal – disse-lhe, baixando a cabeça.

– Queixa-se?

– Não, senhor, não se queixa de nada; mas dizem que os mortos já não se queixam. A senhora está perdida para todos.

– O padre Rentería não veio vê-la?

– Veio ontem à noite e confessou-a. Hoje devia ter comungado, mas não deve estar em graça porque o padre Rentería não lhe trouxe a comunhão. Disse que o faria bem cedo e já vê, o Sol já nasceu e ele ainda não veio. Não deve estar em graça.

– Em graça de quem?

– De Deus, senhor.

– Não sejas tonta, Justina.

– Como quiser, senhor.

Pedro Páramo abriu a porta e estacou, deixando que um raio de luz caísse sobre Susana San Juan. Viu os seus olhos apertados como quando se sente uma dor interna; a boca húmida, entreaberta, e os lençóis percorridos por mãos inconscientes até mostrar a nudez do seu corpo que começou a retorcer-se em convulsões.

Percorreu o pequeno espaço que o separava da cama e cobriu o corpo nu, que continuou a debater-se como um verme em espasmos cada vez mais violentos. Aproximou-se do seu ouvido e disse-lhe: «Susana!» E voltou a repetir: «Susana!»

A porta abriu-se e o padre Rentería entrou silenciosamente, movendo quase imperceptivelmente os lábios:

– Vou dar-te a comunhão, minha filha.

Esperou que Pedro Páramo a erguesse, recostando-a ao espaldar da cama. Susana San Juan, meio adormecida, estendeu a língua e engoliu a hóstia. Depois disse: «Passámos um bocado muito feliz, Florencio.» E voltou a afundar-se na sepultura dos seus lençóis.

– Está a ver aquela janela, dona Fausta, ali na Meia-Lua, onde a luz está sempre acesa?

– Não, Ángeles. Não vejo nenhuma janela.

– É que agora ficou às escuras. Não estará a acontecer qualquer coisa má na Meia-Lua? Há mais de três anos que aquela janela está alumiada, noite após noite. Dizem os que já lá estiveram que é o quarto onde vive a mulher de Pedro Páramo, uma pobre louca que tem medo do escuro. E veja: a luz apagou-se há instantes. Não será um mau presságio?

– Talvez tenha morrido. Estava muito doente. Dizem que já não reconhecia as pessoas e dizem que falava sozinha. Bom castigo deve ter suportado Pedro Páramo casando com aquela mulher.

– Pobre senhor dom Pedro.

– Não, Fausta. Ele merece. Isto e muito mais.

– Veja, a janela continua às escuras.

– Deixe essa janela em paz e vamos deitar-nos que já é demasiado tarde para estas duas velhas andarem à solta pela rua.

E as duas mulheres, que saíam da igreja muito perto das onze da noite, perderam-se sob os arcos do pórtico, vendo a sombra de um homem atravessar a praça em direcção à Meia-Lua.

– Oiça, dona Fausta, não lhe parece que o senhor que ali vai é o doutor Valencia?

– Assim parece, embora eu esteja tão cegueta que não seria capaz de o reconhecer.

– Lembre-se de que usa sempre calças brancas e casaco preto. Aposto que está a acontecer algo de mau na Meia--Lua. E veja como vai rápido, como se estivesse com pressa.

– Oxalá não seja mesmo nada de grave. Tenho vontade de voltar para trás e dizer ao padre Rentería que vá até lá, não se vá dar o caso de essa infeliz morrer sem confissão.

– Nem pense nisso, Ángeles! Nem Deus permita. Depois de tudo o que sofreu neste mundo, ninguém desejaria que partisse sem os auxílios espirituais e que continuasse a penar na outra vida. Embora os entendidos digam que a confissão não serve de nada aos loucos e que, mesmo que tenham alma impura, são inocentes. Isso só Deus sabe... Veja, a luz voltou a acender-se na janela. Oxalá tudo corra bem. Imagine só o que aconteceria ao trabalho que tivemos durante estes dias todos para arranjar a igreja para que reluza, bonita, agora para o Natal se alguém morresse naquela casa. Com o poder que dom Pedro tem, estragava-nos a festa em menos de um credo.

– A senhora pensa sempre no pior, dona Fausta. Melhor seria se fizesse como eu: encomendo tudo à Divina Providência. Reze uma ave-maria à Virgem e tenho a certeza de que não vai acontecer nada de hoje para amanhã. Depois, que seja feita a vontade de Deus; ao fim e ao cabo, ela não deve ser feliz nesta vida.

– Creia-me, Ángeles, a senhora consegue sempre animar-me. Vou deitar-me levando estes pensamentos para o sono. Dizem que os pensamentos dos sonhos vão direitinhos ao Céu. Oxalá os meus lá cheguem. Vemo-nos amanhã.

– Até amanhã, Fausta.

As duas velhas, que viviam lado a lado, meteram-se nas suas casas. O silêncio voltou a fechar a noite sobre a aldeia.

– Tenho a boca cheia de terra.

– Sim, padre.

– Não digas: «Sim, padre.» Repete comigo o que eu for dizendo.

– O que vai o senhor dizer-me? Vai confessar-me outra vez? Porquê outra vez?

– Não será uma confissão, Susana. Vim só conversar contigo. Preparar-te para a morte.

– Já vou morrer?

– Sim, filha.

– Então porque não me deixa em paz? Tenho vontade de descansar. Devem tê-lo encarregado de me vir tirar o sono. De estar aqui comigo até eu perder o sono. O que é que faço depois para o recuperar? Nada, padre. Porque é que não se vai antes embora e me deixa em paz?

– Deixar-te-ei em paz, Susana. À medida que fores repetindo as palavras que eu te disser, irás adormecendo. Sentir-te-ás como se fosses tu própria a embalar-te. E assim que adormeceres ninguém te acordará... Não voltarás a acordar.

– Está bem, padre. Farei o que o senhor disser.

O padre Rentería, sentado à beira da cama, as mãos postas sobre os ombros de Susana San Juan, com a boca quase colada à orelha dela para não falar alto, dizia baixinho cada uma das suas palavras: «Tenho a boca cheia de terra.» Depois parou. Tentou ver se os lábios dela também se moviam. E viu-os balbuciar, embora sem deixar sair qualquer som.

«Tenho a boca cheia de ti, da tua boca. Os teus lábios apertados, duros como se mordessem, oprimindo os meus lábios...» Parou também. Olhou de soslaio o padre Rentería e viu-o ao longe, como que por trás de um vidro embaciado. Depois voltou a ouvir a voz aquecendo o seu ouvido:

– Trago saliva espumosa; mastigo torrões repletos de vermes que me enchem a garganta e raspam a parede do palato... A minha boca desfaz-se, retorcendo-se em esgares, perfurada pelos dentes que a retalham e devoram. O nariz amolece. A gelatina dos olhos derrete-se. Os cabelos ardem numa só chama...

A quietude de Susana San Juan parecia-lhe estranha. Quisera adivinhar os seus pensamentos e ver a batalha daquele coração para rejeitar as imagens que ele semeava dentro dela. Olhou-a nos olhos e ela devolveu-lhe o olhar. E pareceu-lhe ver os seus lábios esboçarem um sorriso.

– Ainda falta. A visão de Deus. A luz suave do seu Céu infinito. O gozo dos querubins e o canto dos serafins. A alegria dos olhos de Deus, última e fugaz visão dos condenados à pena eterna. E não apenas isso, mas tudo conjugado com uma dor terrena. O tutano dos nossos ossos convertido em lume e as veias do nosso sangue feitas fios de fogo, fazendo-nos dar gritos de inacreditável dor: nunca apaziguado; sempre atiçado pela ira do Senhor.

«Ele aninhava-me entre os seus braços. Dava-me amor.»

O padre Rentería percorreu com o olhar as figuras que estavam à sua volta, à espera do último momento. Perto da porta, Pedro Páramo aguardava, de braços cruzados; a seguir, o doutor Valencia e junto dele, outros senhores. Mais além, nas sombras, um grupo de mulheres para quem já se fazia tarde para começar a rezar a oração dos defuntos.

Quis levantar-se. Dar os santos óleos à doente e dizer: «Terminei.» Mas não, ainda não terminara. Não podia dar os sacramentos a uma mulher sem saber a medida do seu arrependimento.

Teve dúvidas. Talvez ela nada tivesse de que arrepender-se. Talvez ele nada tivesse que perdoar-lhe. Inclinou-se novamente sobre ela e, sacudindo-lhe os ombros, disse-lhe em voz baixa:

– Vais para a presença de Deus. E o seu juízo é implacável para os pecadores.

Depois aproximou-se outra vez do seu ouvido; mas ela sacudiu a cabeça:

– Vá-se embora, padre. Não se mortifique por mim. Estou tranquila e tenho muito sono.

Ouviu-se o soluço de uma das mulheres escondidas na sombra.

Então Susana San Juan pareceu recuperar vida. Ergueu-se na cama e disse:

– Justina, faz-me o favor de ir chorar para outro lado!

Depois sentiu que a cabeça se lhe cravava no ventre. Tentou separar o ventre da cabeça; de afastar aquele ventre que lhe apertava os olhos e lhe cortava a respiração; mas cada vez se contorcia mais, como se se afundasse na noite.

– Eu. Eu vi morrer dona Susanita.

– Que dizes, Dorotea?

– O que acabo de te dizer.

De madrugada, as pessoas foram acordadas pelo repicar dos sinos. Era a manhã de 8 de Dezembro. Uma manhã cinzenta. Não fria; mas cinzenta. O repique começou com o sino maior. Seguiram-se os demais. Alguns julgaram que era a chamada para a missa cantada e as portas começaram a abrir-se; não muitas, apenas aquelas onde vivia gente madrugadora, que aguardava, acordada, que o toque das matinas a avisasse de que a noite já terminara. Mas o repique durou mais do que devia. Já não soavam apenas os sinos da igreja matriz, mas também os da de Sangue de Cristo, os da Cruz Verde e talvez os do Santuário. Chegou o meio-dia e o repique não cessava. Veio a noite. E dia e noite os sinos continuaram a tocar, todos por igual, cada vez mais alto, até que aquilo se transformou num lamento barulhento de sons. Os homens gritavam para se fazerem ouvir: «O que terá acontecido?», perguntavam-se.

Três dias depois, todos estavam surdos. Era impossível falar com aquele zumbido que enchia o ar. Mas os sinos continuavam, continuavam, alguns já rachados, com um som oco como o de um cântaro.

– Morreu a dona Susana.

– Morreu? Quem?

– A senhora.

– A tua?

– A de Pedro Páramo.

Começou a chegar gente de outras paragens, atraída pelo repicar constante. De Contla vinham como que em peregrinação. E de mais longe ainda. Quem sabe de onde, chegou um circo, com trapézio e cadeiras voadoras. Músicos. Primeiro aproximavam-se como se fossem mirones e ao fim de algum tempo já se tinham instalado, pelo que até houve serenatas. E assim, pouco a pouco, a coisa transformou-se em festa. Comala fervilhava de gente, de folguedo e de ruídos, tal como nos dias da festa em que era difícil dar um passo na aldeia.

Os sinos pararam de repicar; mas a festa continuou. Não havia meio de lhes fazer compreender que se tratava de um luto, de dias de luto. Não houve meio de fazer que partissem; bem pelo contrário, continuou a chegar mais gente.

A Meia-Lua estava deserta, silenciosa. Caminhava-se com os pés descalços; falava-se em voz baixa. Enterraram Susana San Juan e poucos em Comala o souberam. Havia feira. Jogava-se aos galos, ouvia-se a música, os gritos dos bêbedos e das lotarias. A luz da aldeia chegava até cá e parecia uma auréola sobre o céu cinzento. Porque foram dias cinzentos, tristes, para a Meia-Lua. Dom Pedro não falava. Não saía do quarto. Jurou vingar-se de Comala:

– Cruzarei os braços e Comala morrerá de fome.

– E assim fez.

O Tilcuate continuou a aparecer:

– Agora somos carrancistas[11].

– Está bem.

– Andamos com o nosso general Obregón.

– Está bem.

– Lá fez-se a paz. Andamos à vontade.

– Espera. Não desarmes a tua gente. Isto não pode durar muito.

– O padre Rentería sublevou-se. Vamos com ele ou contra ele?

– Isso nem se discute. Põe-te ao lado do Governo.

– Mas nós somos irregulares. Consideram-nos rebeldes.

– Então vai descansar.

– Com o que eu já fiz até agora?

– Nesse caso, faz o que quiseres.

– Vou ajudar o padreca. Gosto da maneira como gritam. Além disso, ganha-se a salvação.

– Faz o que quiseres.

---

[11] Partidários de Venustiano Carranza. (*N. dos T.*)

Pedro Páramo estava sentado numa velha cadeira de palha, junto ao portão da Meia-Lua, pouco antes de desaparecer a última sombra da noite. Estava só, talvez já há três horas. Não dormia. Esquecera-se do sono e do tempo: «Nós, os velhos, dormimos pouco, quase nunca. Por vezes, quase dormitamos, mas nunca deixamos de pensar. É a única coisa que me falta fazer.» Depois acrescentou em voz alta: «Já não tarda. Não tarda.»

E prosseguiu: «Há muito que partiste, Susana. A luz era igual à de agora, não tão avermelhada; mas era a mesma pobre luz sem brilho, envolta no pano branco da neblina que há agora. Era o mesmo momento do dia. Eu aqui, junto à porta vendo o amanhecer e a ver quando te ias, seguindo o caminho do Céu; onde o céu começava a abrir-se em luzes, afastando-te, cada vez mais diluída nas sombras da terra.

«Foi a última vez que te vi. Passaste roçando com o teu corpo os ramos do paraíso que está na vereda e levaste com o teu sopro as últimas folhas. Depois desapareceste. Disse--te: «Regressa, Susana!»

Pedro Páramo continuou a mexer os lábios, sussurrando palavras. Depois fechou a boca e entreabriu os olhos, nos quais se reflectiu a débil claridade do amanhecer.

Amanhecia.

A essa mesma hora, a mãe de Gamaliel Villalpando, dona Inês, varria a rua em frente à loja do seu filho quando chegou, entrando pela porta entreaberta, Abundio Martínez. Encontrou Gamaliel a dormir em cima do balcão com o chapéu a tapar--lhe a cara para que as moscas não o incomodassem. Teve de aguardar um bom bocado antes que acordasse. Teve de esperar que dona Inês terminasse a faina de varrer a rua e viesse bater nas costas do seu filho com o cabo da vassoura e lhe dissesse:

– Está aqui um cliente! Levanta-te!

Gamaliel endireitou-se de mau humor, grunhindo. Tinha os olhos vermelhos das noitadas e de tanto acompanhar os bêbedos, embebedando-se com eles. Já sentado ao balcão, amaldiçoou a sua mãe e amaldiçoou-se a si próprio e amaldiçoou uma infinidade de vezes a vida, «o raio da vida que nada valia». Depois voltou a acomodar-se com as mãos entre as pernas e voltou a adormecer farfalhando pragas:

– Eu não tenho culpa se a esta hora andam os bêbedos à solta.

– Pobre do meu filho. Desculpa-o, Abundio. O desgraçado passou a noite a atender uns viajantes que se engalfinharam com os copos. O que é que te traz por cá tão cedo?

Disse-o aos gritos pois Abundio era surdo.

– Apenas um quartilho de álcool, que me está a fazer falta.

– A Refúgio voltou a desmaiar?

– Já morreu, mãe Villa. Ontem à noite, muito perto das onze. E eu até tinha vendido os meus burros. Até isso vendi, para tentar que melhorasse.

– Não oiço o que me estás a dizer! Ou não estás a dizer nada? O que é que disseste?

– Que passei a noite a velar a morta, a Refúgio. Deixou de respirar ontem à noite.

– Bem me cheirava a morto. Vê tu que até cheguei a dizer a Gamaliel: «Cheira-me que morreu alguém na aldeia.» Mas ele não fez caso, por ter de confraternizar com os viajantes, o pobre embebedou-se. E já sabes que quando está nesse estado tudo lhe dá vontade de rir e não liga a ninguém. Mas que me dizes? E tens convidados para o velório?

– Nenhum, mãe Villa. É para isso que quero o álcool, para afogar as mágoas.

– Quere-lo puro?

– Sim, mãe Villa. Para me embebedar mais depressa. E dê-mo já que tenho pressa.

– Vou dar-te dois decilitros pelo mesmo preço e por ser para ti. Entretanto, vai dizendo à defuntinha que eu sempre a estimei e que se lembre de mim quando chegar à Glória.

– Sim, mãe Villa.

– Diz-lhe antes que acabe de arrefecer.

– Dir-lhe-ei. Eu sei que ela também conta consigo para orar por ela. E pensar que morreu atormentada por não ter havido ninguém que a ajudasse.

– O quê, não foste ter com o padre Rentería?

– Fui. Mas disseram-me que andava no cerro.

– Em que cerro?

– Nas redondezas. A senhora sabe que andam com os revoltosos.

– Então ele também? Pobres de nós, Abundio.

– O que é que isso nos importa, mãe Villa. Não nos aquece nem arrefece. Sirva-me outra. Está para aí a fazer-se desentendida e afinal o Gamaliel está a dormir.

– Mas não te esqueças de pedir à Refúgio que rogue a Deus por mim, que bem preciso.

– Não se mortifique. Dir-lhe-ei assim que chegar. E até lhe vou arrancar a promessa, não vá ser preciso, e para que a senhora se deixe de apoquentar.

– Isso, é isso mesmo que deves fazer. Porque tu sabes como são as mulheres. Por isso, temos de exigir-lhes cumprimento imediato.

Abundio Martínez deixou outros vinte centavos no balcão.

– Dê-me outro quartilho, mãe Villa. E se mo quiser dar bem aviado, esteja à vontade. Prometo-lhe que o vou beber ao pé da defuntinha, ao pé da minha Cuca.

– Vai então, antes que o meu filho acorde. Fica muito azedo quando acorda a seguir a uma bebedeira. Vai depressa e não te esqueças de fazer o meu pedido à tua mulher.

Saiu da loja a espirrar. Aquilo era fogo puro, mas como lhe tinham dito que assim subia mais depressa, bebeu trago após trago, abanando a boca com a fralda da camisa. Depois tentou ir direito para casa onde Refúgio o esperava, mas torceu caminho e começou a andar rua acima, saindo da aldeia para onde o caminho o levava.

– Damiana! – chamou Pedro Páramo. – Vai ver o que quer aquele homem que vem ali no caminho.

Abundio continuou a avançar, tropeçando, baixando a cabeça e por vezes de gatas. Sentia que a terra se retorcia, lhe dava voltas e depois o largava; ele corria, para a agarrar, e quando a tinha nas mãos, ela voltava a libertar-se até que chegou diante de um senhor sentado perto de uma porta. Então parou:

– Dê-me uma esmola para enterrar a minha mulher – disse.

Damiana Cisneros rezava: «Das ciladas do inimigo maldoso, livra-nos, Senhor.» E apontava na sua direcção, fazendo o sinal da cruz.

Abundio Martínez viu a mulher dos olhos irados pôr diante dele aquela cruz, e estremeceu. Pensou que o demónio talvez o tivesse seguido até ali e deu meia-volta, à espera de encontrar alguma encarnação maligna. Ao não ver nada, repetiu:

– Venho pedir uma ajudinha para enterrar a minha morta.

O sol batia-lhe nas costas. Aquele sol recém-nascido, quase frio, desfigurado pelo pó da terra.

A cara de Pedro Páramo escondeu-se debaixo das mantas como se se escondesse da luz, enquanto os gritos de Damiana se ouviam cada vez mais repetidos, atravessando os campos: «Estão a matar dom Pedro!»

Abundio Martínez ouvia a mulher gritar. Não sabia o que fazer para acabar com aqueles gritos. Sentia que os gritos da velha deviam estar a ser ouvidos muito longe. Talvez até a sua mulher os estivesse a ouvir já que a ele lhe retalhavam as orelhas embora não entendesse o que dizia. Pensou na mulher, estendida no catre, sozinha, no pátio da sua casa para onde a levara para que serenasse e não apodrecesse tão depressa. A Cuca que ainda ontem se deitava com ele, bem viva, resfolegando como uma potra e que o mordia e lhe esfregava o nariz com o seu nariz. Que lhe deu aquele filhinho que morreu à nascença, dizem que porque ela estava incapacitada: o mau-olhado, os calafrios, a azia e não sei quantos outros males que a sua mulher tinha, de acordo com o médico que foi vê-la já no fim, quando teve de vender os burros para o trazer até lá, tanto fora o dinheiro que lhe pedira. E não tinha servido para nada... A Cuca, que agora aguentava o relento, de olhos fechados, já sem poder ver a madrugada; nem este sol, nem nenhum outro.

– Ajudem-me! – disse. – Dêem-me qualquer coisa.

Mas nem ele se ouviu a si próprio. Os gritos daquela mulher ensurdeciam-no.

No caminho de Comala, agitaram-se alguns pontinhos negros. De repente, os pontinhos negros transformaram-se em homens e depois chegaram lá, perto dele. Damiana Cisneros parou de gritar. Desfez a cruz. Agora caíra e abria a boca como se bocejasse.

Os homens recém-chegados ergueram-na do chão e levaram-na para dentro de casa.

– Não lhe aconteceu nada, patrão? – perguntaram. A cara de Pedro Páramo, que mexera apenas a cabeça, apareceu.

Desarmaram Abundio, que ainda tinha na mão a faca cheia de sangue:

– Vem connosco – disseram-lhe. – Meteste-te num belo sarilho.

E ele seguiu-os.

Antes de entrar na aldeia pediu-lhes licença. Afastou-se e vomitou uma coisa amarela como bílis. Jorros e jorros, como se tivesse bebido dez litros de água. Então começou a arder-lhe a cabeça e sentiu a língua presa:

– Estou bêbedo – disse.

Regressou ao sítio onde tinham ficado à sua espera. Apoiou-se nos ombros deles, que o arrastaram, abrindo um sulco na terra com a ponta dos pés.

Lá atrás, Pedro Páramo, sentado no seu cadeirão, observou o cortejo que se dirigia para a aldeia. Sentiu que a sua mão esquerda, quando quis levantar-se, caía morta sobre os joelhos; mas não fez caso disso. Estava habituado a ver morrer todos os dias algum bocado seu. Viu como o paraíso se sacudia, deixando cair as suas folhas: «Todos escolhem o mesmo caminho. Todos partem.» Depois, voltou ao lugar onde deixara os seus pensamentos.

– Susana – disse. Depois fechou os olhos. – Eu pedi-te que regressasses...

«... Havia uma lua grande no meio do mundo. Os meus olhos perdiam-se, a olhar para ti. Os raios da lua filtravam-se sobre a tua cara. Não me cansava de ver essa aparição que tu eras. Suave, esfregada pela lua; a tua boca macia, húmida, irisada de estrelas; o teu corpo cada vez mais transparente na água da noite. Susana, Susana San Juan.»

Quis levantar a mão para ver mais nitidamente aquela imagem, mas as suas pernas retiveram-na como se esta fosse de pedra. Quis levantar a outra mão e foi caindo devagar, de lado, até ficar apoiada no chão como uma muleta que sustentava o seu ombro desossado.

«Eis a minha morte», disse.

O sol partiu, girando sobre as coisas e devolvendo-lhes a sua forma. A terra em ruínas estava diante dele, vazia. O calor aquecia o seu corpo. Os seus olhos quase não se mexiam; saltavam de memória em memória, desfigurando o presente. De repente, o seu coração detinha-se e parecia que também o tempo e o sopro da vida se detinham.

«Desde que não seja uma nova noite», pensava ele.

Porque tinha medo das noites que enchiam a escuridão de fantasmas. De ficar fechado com os seus fantasmas. Era disso que tinha medo.

«Sei que dentro de poucas horas Abundio virá com as suas mãos ensanguentadas pedir-me a ajuda que lhe neguei. E eu não terei mãos para tapar os olhos e não o ver. Terei de o ouvir; até que a sua voz se apague com o dia, até que a voz lhe morra.»

Sentiu que umas mãos lhe tocavam nos ombros e endireitou o corpo, endurecendo-o.

– Sou eu, dom Pedro – disse Damiana. – Não quer que lhe traga o almoço?

Pedro Páramo respondeu:

– Vou a caminho. Já vou.

Apoiou-se nos braços de Damiana Cisneros e tentou caminhar. Alguns passos depois, caiu, suplicando por dentro; mas sem dizer uma só palavra. Deu um golpe seco contra a terra e foi-se desmoronando como se fosse um montão de pedras.

A CAVALO DE FERRO RECOMENDA:

DO MESMO AUTOR:

PLANÍCIE EM CHAMAS

«Com apenas dois livros, Juan Rulfo (1918-1986) impôs-se como um nome de culto da literatura do século XX... Raras vezes a ficção comove a este ponto. Poesia pura (e dura).»
Ana Cristina Leonardo, *Expresso Actual*

As obras de Rulfo influenciaram toda a escrita sul-americana. Nomes como Garcia Márquez, Fuentes ou Roa Bastos apontam-no como o fundador da narrativa moderna daquele continente. As suas obras fazem parte da lista de obras representativas da humanidade da UNESCO.

O GALO DE OURO

«Conto de uma limpidez e força incomparáveis, onde o destino se constrói e desmonta sob as circunstâncias fundas da terra dentro de cada personagem. Tudo isto se pode ler na obra de Rulfo, que a Cavalo de Ferro tem editado em excelentes traduções, e que este volume vem completar.» Pedro Sena-Lino, *Público MilFolhas*

DE OUTROS AUTORES:

ANACONDA, de Horacio Quiroga

«Depois de "Contos de Amor, Loucura e Morte" e de "Contos da Selva", surgiu-nos em 2005 a série "Anaconda". Quiroga é, como sempre, fabuloso, fantástico, ecológico, moralizante, dramático, humano e muito mais. Um grande contista uruguaio, de vida breve e agitada, do começo do século XX.»
Jorge Dias de Deus, *Público/MilFolhas*

Horacio Quiroga é considerado o pai do conto sul-americano. As suas obras narram a lenta guerra entre o homem e a natureza nos abismos tropicais da América do Sul.

OS SETE LOUCOS, de Roberto Arlt
«Cada página diz coisas fortes, nenhuma página é desperdiçável.»
Gonçalo M. Tavares *in MilFolhas/Público*

«"Os Sete Loucos", o extravagante, estrepitoso, originalíssimo, rebuscado, ousado, popular, anárquico romance do argentino Roberto Arlt!» Jorge Silva Melo *in Público/MilFolhas*

Selecção livro do ano 2004 de *Público, Expresso e Visão.*

NADA, de Carmen Laforet
«"Nada" é tudo o que não se pode dizer, são amor e sexo reprimidos, é prosa desassossegada. Carmen Laforet consegue abanar a literatura espanhola do pós-guerra.» *Revista Os meus livros*

Quando foi criado o prémio Nadal, nos anos 40, esperava-se fazer dele o grande prémio da literatura espanhola. Um prémio para grandes nomes consagrados. Daí a tremenda surpresa quando a primeira edição foi ganha por uma jovem desconhecida de vinte e poucos anos. Em pouco tempo, contudo, foi reconhecido o alcançe e dimensão do romance «Nada».
Uma das obras-primas do século xx.

A TRÉGUA, de Mario Benedetti
A escrita simples do diário de um homem perto da idade da reforma que se apaixona por uma jovem que trabalha no escritório fronteiro, percorre as páginas de um livro humano e delicioso que narra, sem lamechices, de que forma o amor pode mudar a vida de pessoas que já nada esperavam dela.

Mario Benedetti consegue algo que muito poucos escritores jamais conseguiram: é um escritor de qualidade notável e um dos mais vendidos do mundo. As suas obras têm tiragens de largos milhões.

«let's start a publishing house

to hell with small literature
we want something redblooded

lousy with pure
reeking with stark
and fearlessly obscene

but really clean
get what I mean
let's not spoil it
let's make it serious

something authentic and delirious
you know something genuine like a mark
in a toilet

graced with guts and gutted
with grace»

squeeze your nuts and open your face

[e.e.cummings, no thanks, 1935, adaptado por Diogo Madre Deus]